人文武术精品书系

U0642641

勿使前辈之遗珍失于我手

勿使国术之精神止于我身

薛颠

# 形意拳术讲义

下编

武学名家典籍丛书

# 薛颠武学辑注

薛颠·著
王银辉·校注

北京科学技术出版社

形意拳術講義 下编

感谢王占伟先生收藏并提供版本

# 出版人语

武术作为中华民族文化的重要载体，集合了传统文化中哲学、天文、地理、兵法、中医、经络、心理等学科精髓，它对人与自然和谐共生关系的独到阐释，它的技击方法和养生理念，在中华浩如烟海的文化典籍中独放异彩。

随着学术界对中华武学的日益重视，北京科学技术出版社应国内外研究者对武学典籍的迫切需求，于2015 年决策组建了“人文·武术图书事业部”，而该部成立伊始的主要任务之一，就是编纂出版“武学名家典籍”系列丛书。

入选本套丛书的作者，基本界定为民国以降的武术技击家、武术理论家及武术活动家，而之所以会有这个界定，是因为民国时期的武术，在中国武术的发展史上占据着重要的位置。在这个时期，中、西文化日渐交流与融合，传统武术从形式到内容，从理论到实践，都发生了巨大的变化，这种变化，深刻干预了近现代中国武术的走向。

这一时期，在各自领域“独成一家”的许多武术人，之所以被称为“名人”，是因为他们的武学思想及实践，对当时及现世武术的影响深远，甚至成为近一百年来武学研究者辨识方向的坐标。这些人的“名”，名在有武术的真才实学，名在对后世武术传承永不磨灭的贡献。他们的各种武学著作堪称为“名著”，是中华传统武学文化极其珍贵的经典史料，具有很高的文物价值、史料价值和学术价值。

目前，“武学名家典籍”丛书，已出版了著名杨式太极拳家杨澄甫先生的《太极拳使用法》《太极拳体用全书》，一代武学大家孙禄堂先生的《形意拳学》《八卦拳学》《太极拳学》《八卦剑学》《拳意述真》，武学教育家陈微明先生的《太极拳术》《太极剑》《太极答问》。本套《薛颠武学辑注》收入了民国时期著名形意拳家薛颠先生于民国十八年（1929 年）至民国二十二年（1933 年）间出版的《形意拳术讲义》《象形拳法真诠》《灵空禅师点穴秘诀》三本著作，并附录金倜庵先生编著的《少林内功秘传》一部（该书讲解的易筋经练习法和少林五拳等内容对理解薛颠武学颇有帮助），共分为四册出版。薛颠对形意拳的贡献是继承和发扬，他的象形拳更是为形意拳独辟蹊径，他的几部著作，是形意拳研究和学习者不可绕过的经典。

这些名著及其作者，在当时那个年代已具有广泛的影响力，而时隔近百年之后，它们对于现阶段的拳学研究依然具有指导作用，依然被武术研究者、爱好者奉为宗师，奉为经典。对其多方位、多层面地系统研究，是我们今天深入认识传统武学价值，更好地继承、发展、弘扬民族文化的一项重要内容。

本丛书由国内外著名专家或原书作者的后人以规范的要求对原文进行点校、注释和导读，梳理过程中尊重大师原作，力求经得起广大读者的推敲和时间的考验，再现经典。

“武学名家典籍”丛书，将是一个展现名家、研究名家的平台，我们希望，随着本丛书第一辑、第二辑、第三辑……的陆续出版，中国近现代武术的整体风貌，会逐渐展现在每一位读者的面前；我们更希望，每一位读者，把您心仪的武术家推荐给我们，把您知道的武学典籍介绍给我们，把您研读诠释这些武术家及其武学典籍的心得体会告诉我们。我们相信，“武学名家典籍”丛书这个平台，在广大武学爱好者、研究者和我们这些出版人的共同努力下，会越办越好。

# 发愤著书（代序）

## ——2001 年薛颠武学再现事件追记

庚子年（1900 年）前，文化阶层约占全国人口的 4%，那时看四书五经，识字便是知理，不是文盲，就一定是文化人。

庚子年后，废了四书五经，识字人日众，但文化阶层仍是 4%，并无提高，欧美日学术汪洋灌入，错综复杂，难以辨析，文化门坎变高，识字不等于知理了。

在四书五经不再作为文化标准的时代，有些民众还认老理，出现一种奇特现象：有的人几乎是文盲，但接触他的人都认为他很有文化。民国武术家唐维禄近乎文盲，尚云祥将将能看报纸，凭着认识不多的字，半猜着看，如同中国人在日本街头能看懂告示牌的状况。

在新派人和老派人里，识字都不是有文化的标准了，老派人看，你的生活习惯、思维方式还是传统的，就是有文化了。唐维禄和尚云祥均被认为是比大学教授还文雅的人。

传统文化人要“发愤著书”，不是生了一肚子闷气而有了写书动力，“发愤”不是指在具体事上受了谁欺负，而是自认命薄，这辈子没有机会立功立名，那么就立言吧——发愤，是还有可努力的，那就努力吧。

“努力”一词不是清末时扒来的日文词汇，是唐朝高僧嘱咐徒弟的用语，要连用两遍，为“努力努力”，意思是“就是这个了，就是这个了，别弄丢了”。

习武人多属老派，老派人有发愤之志。李存义有一部著作，将前辈老谱和个人心得编纂在一起，友人帮忙成文，私家印刷本，传给嫡传弟子作身份证明，从未面世。尚云祥也有一部著述，友人帮忙成文，未印刷，稿本和手抄副本，(20世纪) 20年代末30年代初期，为防止泄露给驻京外国人而销毁。

历经战乱、政改、世变，李、尚著作希望还在世，或留惠于子孙，或当年帮忙成文的人留了底本，不必面世，还在就好。

薛颠则是另一种情况，他读书无碍，写文为难，由弟子润笔完成著书，没有泄密外国的顾忌。国难当头，他的观点是，公布于世后，对老祖宗的东西，中国人一定领悟得比外国人快，只要比外国人快就行了。

于是大写特写，全国发行，留下了今日可见的著作。

唐维禄老死乡野，尚云祥避官如避祸，从当年给薛颠著作写序的人看，他结交政界军界，多为翘楚，得到的社会信息不同，所以想法不同。

唐维禄没选择著书，选择当好传书的人，对师父李存义的那部私著，他全文背诵，传给我二姥爷李仲轩时，可以按页指明，哪页上都是什么话（此书二姥爷因遇难而失去，在《武魂》杂志谈起失书事后，有形意门派系声称他们还有）。

我年少时问过二姥爷，唐维禄既然能背诵、能识别段落，进一步把字一一认了，该是顺水推舟的事吧？二姥爷没解释，只说唐师傅“是没认成字”。年长后，看多了本应“顺水推舟”的事，往往都难办成。

比如薛颠著作。

听二姥爷说薛颠生平，感慨他武功盖世却命运多舛。二姥爷说，你多愁善感是你的事，跟薛颠没关系，戏台上的人物都是忽亨忽灭的命，既上了戏台，就是要忽亨忽灭。

薛颠亨通过，灭了很久。过世小五十年后，首谈他的，是我二姥爷，在《武魂》登文。开始时是谈着试试，比较谨言，放开谈，是受了《武魂》编辑常学刚先生支持，并以大魄力为此话题开了专栏。

常先生说过许多话，大意是，新一辈不知道薛颠了，看了《武魂》去问师父师爷，勾起老辈人记忆，才说说，年轻人没想到熟知的武林典故里竟然屏蔽了一位顶级高手，出于好奇心理，有了许多薛颠迷。

于是，南北间涌现了跟薛颠有关联的人，有的自称薛颠嫡传，有的说串有薛颠的东西，有的说师爷受过薛颠指点——都是好事，起码证明人间有过薛颠。

还有的说找到证据，薛颠在（20 世纪）50 年代未死，而是如“基督山伯爵”般假死遁身，按他的身体素质，至少活到 80 年代。网上发问：“80 年代上中学时，如果知道薛颠还在世，跟自己在一个时间段活着，会惊着么?”

没敢答，确实惊着了——总之，是好事。神话薛颠，说明尘封半个世纪后，薛颠跟人间重又发生了关系。

常学刚先生是“顺水推舟”的推舟人，承蒙先生十几年过来，仍续善举，将薛颠旧作编辑合集。正视薛颠，应从此合集开始。

徐皓峰

# 我跟薛颠这几本书的缘分（代序）

薛颠先生跟我有缘，这缘分，就是他的这几本书。

二十几年前，我由体育杂志的记者转行到武术期刊《武魂》当编辑。隔行如隔山，两眼一抹黑的我，听老编聊起过薛颠，知道了此人本事和为人都透着怪，不但名字叫了一个“颠”，行状也是“身法快捷，有如鬼魅”，这些都给人遐想的空间。

薛颠成了我渴望了解的人，可在《武魂》的最初几年，并没有收到过关于薛颠的稿件，也没有人认真提他。这种情况，跟我知道的其他名人很不一样。印象中，凡那些武学高深、声名显赫的大家，几乎人人会有众多的追随者写文追忆，深入研究，或是弟子，或是同门，皆以与之有关联为荣。而这位薛颠，怎么就是个例外呢？

听说薛颠好像有后人或者传人在天津一带，曾托津门的朋友打听，结果不了了之，没个下文——似乎武林不曾有过薛颠这个人，这让我有些无趣乃至悲哀。

大约是1996年的二月，上海马胜利先生的泰戈武术发展有限公司，寄来一本《象形拳法真诠》，说这是经过广泛搜寻，很花了一些钱从海外拳家手中购回的，希望能够连载。马的来稿给我带来兴奋——原来还有人记得薛颠！

此文经删节后，在《武魂》上分三期刊出。这是我第一次直面薛颠的文字，而这与薛颠的“第一面”，却只能用“糟糕”二字来形容。

之所以“糟糕”，糟就糟在我对这本书“删节”的无知与草率，全书仅刊出了“总纲绪言”的部分内容，后面的“象形拳法真诠上编”飞、云、摇、晃、旋五法和“下编”的龙、虎、马、牛、象、狮、熊、猿八象则根本未涉及。好好一本书，删得七零八落，不成体系，一次让人重新记起薛颠、认识薛颠的机会，在我手下居然成了如此模样（行文至此，颇感愧对当年马胜利先生为传统武术文化传衍付出的一片苦心）。

与薛颠著作的首次交集，虽然局面难堪，让人心生愧疚，但我却也由此知道，传统是有记忆的，薛颠和他的拳，并没有消散成渐飘渐淡的烟。

以后发生的事情，愈发让我感到，以前自己曾经的悲观，实在是因为少见与寡闻。先是山西太原意源书社的崔虎刚、王占伟两位先生，根据他们搜集和珍藏多年的民国版本，率先印行了薛颠的《形意拳术讲义》，在拳友中辗转流传；继而意源书社又与山西科学技术出版社的王跃平老师合作，2002 年正式出版发行了薛颠《象形拳法真诠》和《灵空禅师点穴秘诀》两本书。这件事情，可以说是那个时期，武林界关于薛颠研究的大举动。这几本书，也成了《武魂》编辑部向读者推荐的传统经典。

但薛颠离开我们的视线太久了，很多年轻人，已经读不懂薛颠。尤其是《象形拳法真诠》和《灵空禅师点穴秘诀》，在《武魂》编辑部的书架上，很冷清了一阵。读者多数不知道这个作者是谁，不了解这是什么功夫！

薛颠其人其事，需要有人解读，现在还有懂薛颠的人么？

2000年11月，一位署名徐皓峰的陌生作者，发来一篇介绍形意拳老辈传承者李仲轩的稿件。没想到就是以这篇陌生作者的自由来稿为发端，《武魂》用将近七年的时间，陆续刊登了由徐皓峰整理的李仲轩稿件28篇。李先生的这些文章，并无编者与作者事先的沟通和预约，完全是作者随心所欲写来，但在每一篇来稿中，编者常会有意外的发现。在编辑2002年第10期的那篇《"一个头"见薛颠》时，我看到"我的第一个老师是唐维禄，最后一个老师是薛颠"这句话，既喜且惊，谁能想到，正在我们苦寻解读薛颠者而不得之时，会出现一位薛颠的弟子，以年近九十的高龄，为后学讲述他所了解的薛颠。这真是想什么来什么！此刻，你不能不惊叹中华传统文化精髓的顽强生命，不能不信服冥冥之中固有的机缘。

《武魂》是李仲轩系列文章的最初刊载者，之后这些文字，被徐皓峰先生整合成册，定名为《逝去的武林》；再后来，徐先生又将据仲轩老人口述整理的《象形术探佚》，披露连载于《武魂》2009年第9期至转年的第2期，以后成了徐皓峰的另一部书《高术莫用》里的内容。两本书的出版，一时在武林轰动。

关于薛颠，李老写得绝对独家：

他是结合着古传八打歌诀教的，蛇行是肩打，鸡形是头打，燕形是足打，不是李存义传的，是他从山西学来的。

薛颠管龙形叫“大形”，武林里讲薛颠“能把自己练没了”，指的是他的猴形。

薛颠传的桩功，一个练法是，小肚子像打太极拳一般，很慢很沉着地张出，再很慢很沉着地缩回，带动全身，配合上呼吸，不是意守丹田，而是气息在丹田中来去。打拳也要这样，出拳时肚子也微微顶一下，收拳时肚子微微敛一下，好像是第三个拳头，多出了一个肚子，不局限在两只手上，三点成面，劲就容易整了。

站桩先正尾椎，尾椎很重要。脊椎就是一条大龙，它有了劲力，比武时方能有“神变”。

薛颠说四维上下，不是玄理，而是具体练法。“内中之气，独能伸缩往来，循环不已，充周其间，视之不见，听之不闻，洁内华外，洋洋流动，上下四方，无所不有，无所不生。”这已是形意的妙诀了。

**在仲轩老人的笔下，原本模糊一团的薛颠，清晰了许多。仲轩老人的话，也让更多的人，打开了尘封多年的记忆：**

“肩窝吐气”是薛颠讲过的练功口诀。气者，劲也。肩窝是张嘴，对着手臂吹气，劲就到了指尖。站桩、打拳都要这样。

薛颠说：形意拳只练向上的劲，从不练向下的劲，松了自然有沉劲。“蓄”，练收，含着劲打拳，所以练功架是不发劲的。“含着劲练拳，兜着劲打人”。

打劈拳是，“肩井”如瀑布一样倾泻而下，是“重力”。对应“肩井”的是“涌泉”。打钻拳时，“涌泉”似喷泉般向上涌出，身势借着这股势头钻出。

刘奇兰这一系的河北形意拳，原先以五行拳为主，并不重视十二形，但薛颠自李振邦处重新引进了十二形，在他之后，河北形意拳又开始学习十二形。

薛颠另一个重要的贡献即是创象形拳。他提出“飞云摇晃旋”五法，为形意拳另辟新径。

如此种种，精妙纷呈，薛颠的武学，重新在人们的心中复活了！

后来，再回人们视线的薛颠，让《武魂》读者服务部书架上他的书，成了读者关注的热点；再后来的2007年，山西科学技术出版社将薛颠的这三本书合集出版，我有幸成为了该书的校点者。

今年（2016年），北京科学技术出版社又将薛颠的著作，以新的注释、新的校点、新的版式、新的装帧向武术读者隆重推出，早已从《武魂》杂志退休的本人，再次有幸参与其中。回想二十年来，笔者亲眼目睹了薛颠先生这三本书由湮没无闻到名动武林的过程，不由得心生感慨，遂写了上面的文字。

常学刚

# 导读

薛颠（1887—1953年），字国兴，号页真子，河北束鹿县（今河北省辛集市）人。薛颠先生是民国时期的武学大家。先生在青年时期，曾师从李存义、薛振刚、李振邦，学习形意拳。中年时，又访到灵空禅师学习象形术。李振邦是形意拳宗师李洛能的嫡孙，灵空禅师是山西五台山南山寺的得道高僧。

薛颠先生主持天津县国术馆教务时，在练功和教学之余，勤于著述，经过苦心经营，将武术绝学形之于文字，这就是他的多本皇皇武学巨著。先生的武学著作，对形意拳、象形术的拳理、拳法进行了全面、系统、详细的讲解，将各种内外功、伤科治法和秘方和盘托出，贡献于社会。其文笔力雄健，文采飞扬，自信十足；分析、论述精辟老到，直指要害，有独特的语言风格，表现出深厚的文化修养、高超的功夫水平和源远流长的武学传承，给我们留下了宝贵的文化遗产。

然而，由于时代的隔阂以及语言、文化和知识结构的差异，现在的一般读者要想真正读通、读懂薛颠先生的著作是很困难的。因此，全面、严谨的点校、注释工作就显得十分迫切和重要。

第一，原著出版发行的那个时代，还没有成熟的标点符号体系，所以当时的断句和标点有很多的混乱。尤其是各书前的序言，虽然有很高的研读价值，但是完全没有断句，严重妨碍了读者的阅读和理解。这次对全书所有文字进行了严格、细致的点断，并根据句意、文意及各句、各部分之间的逻辑关系，加上了恰当的标点符号。

第二，原著是用文言文写成的，尤其是各书前的序言，都很艰深，时不时出现古奥的用词、用典，这对于习惯了现代文阅读的读者而言，又是一个巨大的障碍。将文言文按照现代文来理解，极易曲解作者的原意，甚至闹出笑话。因此，这次对全书难解的字、词、句、篇进行了密度不一的注释，艰深的地方注释密度大一些，相对浅易的地方注释密度小一些。对于特别艰深的篇章给出了全篇释文。对于原著的用典及引用的古语，最大限度地将其出处、原意和本书用意呈献给读者。对于原文中前后互文的关系及承前省略的内容，也都尽量揭示给读者。

第三，薛颠先生在写作《形意拳术讲义》时，将全本《李洛能形意拳拳谱》作为形意拳的理论根据和练习规范，有机地插入该书各章节中，为我们保留了《李洛能形意拳拳谱》的一个珍贵版本。这次校注对于书中来源于《李洛能形意拳拳谱》的文字均予以指出，以便于读者辨别哪些是拳谱的摘录文字，哪些是薛颠先生的原创文字。

以前的所有各名家的形意拳著作，包括薛颠先生的这本《形意拳术讲义》，在使用拳谱时只是引用而不加解释。这次尝试对书中引用的拳谱部分进行了高密度的注解，有很多篇章做了逐句解释。这是一个巨大的挑战，还望各位学者、专家提出宝贵意见，以便不断改进。古人流传下来的拳谱拳经，若不加解释，永远只不过是沉睡的镇箱之物。

第四，原著有一些文字和插图上的失误。如《灵空禅师点穴秘诀》中的药方、药名存在错误。再如《形意拳术讲义》中“鹘形回身”拳照与“鹰形回身”拳照，互相放错了位置。还有某处的两个字也是互相放错了位置，这次都发现并指出来了。

对于失误的字、词、句，都尽力找到并指出来加以改正。用“应为”“当为”“疑为”“疑当为”分别表示点校者的肯定、商榷、推测和揣测等不同语气。如“雷火风：应为‘雷火丰’”“赤芎——当为‘赤芍’”“遍成毒：疑为‘逼成毒’”。

以上将《薛颠武学辑注》的标点、校订和注释工作进行了简单的介绍，唯愿校注者的努力能为现在的和将来的读者朋友扫除阅读和理解的障碍，让大家都能顺利地享受前人给我们留下的文化遗产，也让前人的著作抖去历史的灰尘，像颗颗明珠，永放光芒！

王银辉

形意拳術講義

# 上編形意拳術講義

形意拳術目錄

五行拳術目錄

下編形意拳術講義

十二形拳術目錄

下編形意拳術講義目錄

# 下編形意十二形講義

夫十二形者。本諸天地化生而來也。曩昔本爲十形。原屬天干氣數也。後者擴爲十二形。原屬地支氣數也。干數十。支數十二。盖天之中數五。故氣原乎天者無不五。五氣合一。一陰一陽。故倍之成十。地之中數六。故氣原乎地者無不六。六氣合一。一陰一陽。故倍之成支。此十二形數之由來也。既有其數。而即取諸動物之特能。成爲十二形。十二形者。係龍虎猴馬鼉鷄燕鷂鴿蛇鷹熊是也。然諸物所具之特長及性能。人以身形物之形。物之意以人意悟之。此形意拳名之理源也。練之潔內華外。使人身四肢五臟六腑七表八裏九道十二經絡。無閉塞之處。而百病亦無發生之源。故拳中有四象五行六合七政八卦九宮而化取十二形。以氣通貫十二經絡是也。夫學者於形意十二形潛心玩索。洞明奇偶之數。陰陽之理。果無悖謬。久之不特强身。且能强種强國。胡不勉力行之哉。

## 第一章　龍形講義

龍者水中最靈猛之物。在卦屬震爲木。形本屬陽。乃眞陰物也。取諸於身而爲離屬。心心屬火。故道經有言龍從火裏出又爲雲。雲從龍。龍之天性有蟄龍翻浪昇天之勢。抖搜之威。遊空探爪縮骨之精。隱現莫測。取之於拳。則爲龍形。此形之精意。神發於目。威生於爪。勁起於承漿之穴。任脈與虎形之氣循還相接。兩形一昇一降。一前一後。以拳法之用。外剛猛而內柔順。形勢順。心內虛空。而心火下降。心竅開而智慧生。即道家火候空空洞洞是也。形勢逆。筋絡難舒。則身被陰火焚燒矣。故曰一波未定一波生。好似神龍水上行。忽而冲空高處躍。聲光雄勇令人驚。學者於此形當深心格致。久則道理自得。龍形路綫三步一組。其步法類劈鑽。而非直綫。如下圖。

## 第一節　龍形進步路綫

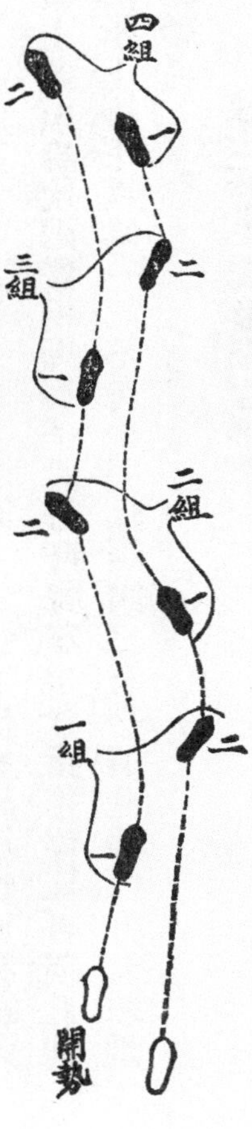


## 第二節　龍形右起落勢

三才開勢。先將左足向前墊步。兩手同時攥上拳。身子向下塌勁。隨時身向左摔。暗含頂勁上起之意。右手於左足墊步時。向裏摔勁。摔至手心朝上。順心口上鑽。膀扣腰縮。勢如怒濤往前。如托送物之勢。伸至極度。爲陰拳。高與肩齊。肘順左膝。左手拳亦同時向回拉。至左胯前。大指緊靠小腹。身曲形坳。目視右拳大指中節。此節形勢不停。再將右足提起。膝頂右肘。足前伸。斜向右邊進步。身腰向右摔。暗含往上起勁。右手

第二節龍形右起落勢圖

向外擰勁。極力上蹬伸至極處。（此起蹬勁自然之起發於丹田而起於湧泉穴）再將手腕下翻成陽掌。五指抓勁。極力往回拉。拉至右胯。大指緊靠臍腹左手於右足提起時。同時從心口順右肱極力向前推勁。伸開下翻成半陰陽掌。與右膝相順。身腰向下伏勁。將小腹放在右大骽上。頭頂身伏。兩骽相坳剪子股勢。目視左手食指稍停住再演此龍形承上接下。貫爲一氣。不可中間隔斷。謂之右勢潛龍翻浪升天墜地之形也。

### 第三節　龍形左起落勢

進步換勢時。先將右足墊步。左右兩手同時攥拳。右手拳仍在右胯。左手變拳極力向裏摔勁。拉回至臍前。拳心朝上。再順胸前伸出伸至極處。肘順右膝。拳與肩齊。頭暗含上頂。身要摔勁上躦。目視左手陰拳大

第三節龍形左起落勢圖

指中節。再將左足提起。膝頂左肘。足前伸。斜向左邊進步。身腰向左摔往上起。左手向外摔往上躦。勁伸之極度下翻成陽掌。五指抓回。向後拉勁。拉至左胯。大指緊靠胯傍停住。右手於左足提起時。同時從心口順左肱極力向前推勁。至極度下扣變成陰陽掌。與左膝相順。身腰向下伏勁。將小腹放在左大骽上。頭頂身

伏。兩髂相拗。形如剪子股。目視右手食指。此謂之左勢潛龍翻浪升天擊地之勢也。再往前演。兩手兩足起落躦翻。仍如左右二勢。惟換勢躦手之時。目之視線隨手之上下爲標準。數之多寡勿拘。

## 第四節　龍形回身法

第四節龍形右回身勢圖

左足在前右轉身。右足在前左轉身。轉身時。左足尖向回扣。扣在右足傍。成八字勢。兩手同時攥拳向懷中合勁。合至手心朝上。順身上躦。右手陰拳躦至平鼻。肘在心口。拳順左膝。左手陰拳在右肘下。目視右手陰拳。右足亦提起。頂右肘。足尖斜橫平伸向右邊斜著進步落地。右手拳同時翻扣。回拉。拉至右胯靠小腹。左手拳亦同時順右肱極力向前伸開。下翻成半陰陽掌。兩膀相坳。身腰下伏。將小腹放在右大腿上。目視左手食指稍。如收勢仍歸於原起點。休息。——拳經云左足回扣。隨勢轉身。右足相提。右拳陰伸左拳抑抱。推挽力均。手足齊落。兩拳半陰。後手在肋前。掌齊心。

右轉回身路線

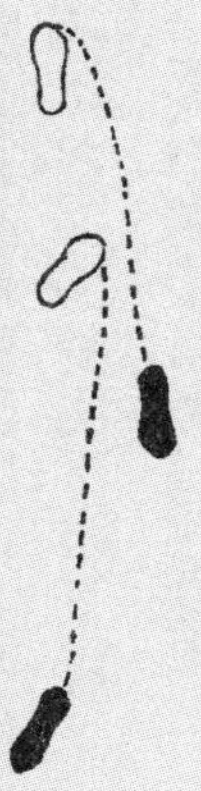

## 第二章　虎形講義

虎者山中猛獸之王。在卦屬兌。爲金。取之於身而爲坎。屬水。爲腎。坎生風。風從虎。虎之天性有離穴抖毛之威。撲食之勇。故道經有言虎向水中生。此形與龍形之勢。輪迴相屬。能通任開督。在丹經謂之水火交而金木併。四象合和。取之於拳。爲虎形。此形之威力起於臀尾之勁。督脈發動湧泉之穴。起落不見形。猛虎坐臥藏洞中。以拳之應用。外猛而內和。形勢順。則虎伏而丹田氣足。能起眞精補還於腦。道經云。欲得不老還精補腦。正是此二形之要義也。形勢逆而靈炁不能灌溉三田。流通百脈。反爲陰邪所侵。而身重濁不靈空矣。故曰猛虎穴伏。雙抱頭。長嘯一聲。令膽驚。翻掀尾。蹦隨風起。跳澗抖搜施威風。學者最當注意。格務龍虎二形之理。得之於身心。則謂之性命雙脩。虎形路線如炮拳。則以三步一組。惟有不同者。手法步法耳。如下圖。

第一節　虎形進步路線 圓圈是提足

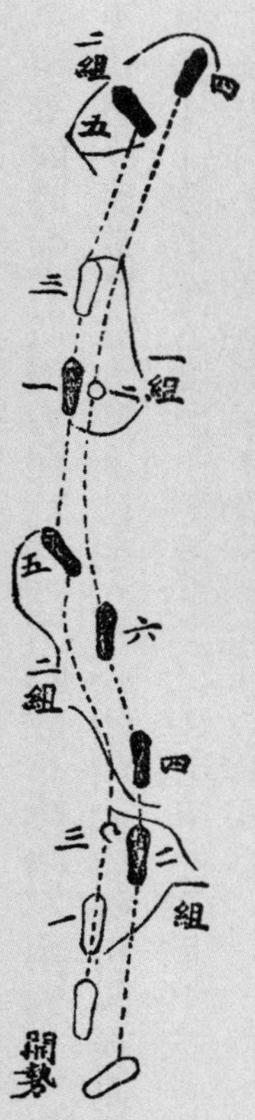

第二節　虎形起勢

三才勢。先將右手前伸。與左手相齊。往前向下斜伸直。左足同時墊步。

第二節虎形起勢一圖

右足極力向前大進步左足亦同時再跟步。提起足尖着地緊靠右足裏脛骨。左右兩手同時攥拳。俟右足進左足提跟時。向懷中合抱至臍。緊靠小腹。翻成陰拳。兩肘加肋頭頂腰沉。舌捲氣息。目前平視。

第三節　虎形落勢

再將右足向前墊步。左足同時向左邊斜進步。着地。右足隨同跟步。相離一尺三四寸。此跟步總宜合各人之外五行姿勢爲佳。兩拳亦同足着地時順前胸向上鑽。俟至下頦下。往前連鑽代翻撲出。兩手大指根相對。虎口圓開。手與心口相平。兩肱伸曲。肩外開勁。目視兩手正中。再演兩手與前足墊步之時。同時落至小腹。手心向上。兩肘抱肋。如第二節一圖。再進步出手。如第三節二圖。起鑽落翻。手法步法。均相同。數勿拘。回身總宜出左足之勢。再回身。

第三節虎形落勢二圖

### 第四節　虎形回身法

左足在前右轉身。右足在前左轉身。轉身時。左足尖回扣。扣在右足傍

## 第四節虎形回身三圖

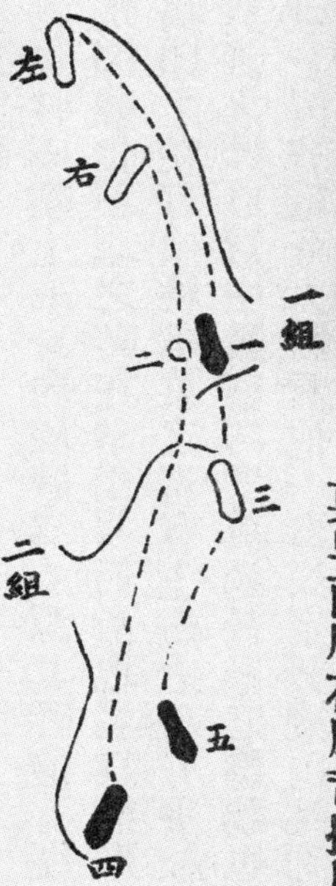


成斜八字勢。右足隨跟。提起。兩手同時攥拳。仍抱小腹。再進步換勢。手足起落鑽翻。仍與前勢相同。收勢歸原休息。拳經云。左足回扣右足隨之。左斜右提。眼觀一隅。掌變陰拳。右肋左膀。有如丁字。莫亢莫卑。兩肘在肋。舌捲屏息。

## 第三章　猴形講義

猴者最靈巧之物也。性屬陰土。取身內屬脾。爲心源。其性能有縱山跳澗飛身之靈。有恍閃變化不測之巧。在拳用其形。故取名爲猴形。以拳勢言之。有封猴掛印之精。有偷桃献菓之奇。有上樹之巧。有墜枝之力。展轉挪移。神機莫測之妙。以形中最靈巧者。莫過於猴之爲物也。故曰不是飛仙體自輕。若閃若電令人驚。看他一身無定勢。縱山跳澗一片靈然。練時其拳形和。則身體輕便。快利旋轉如風。拳形不和。則心內凝滯。而身亦不能靈通。突此形之運用。與各形勢不同。手步法。是一陰一陽。一反一正。先練爲陰。回演爲陽。步法一步二步三步旋轉身法。學者於此形。切不可忽略焉。

### 第一節　猴形進步路線　左右練法相同

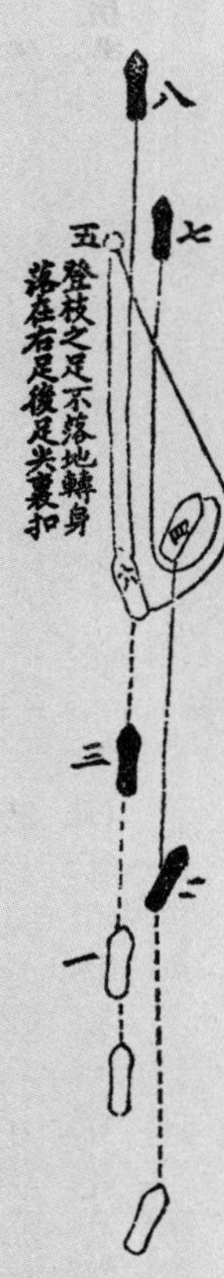

第二節　猴行起勢

兩儀開勢。左手上起前伸與頭頂相齊。右手下落至心口。兩手如撕綿形。

第二節　猴形　左勢封猴掛印圖

左右手半陰半陽。眼看左手食指稍。爲左勢封猴掛印圖。



第三節　猿猴偷桃獻菓

再換勢。兩足不進。左手停住不動。右手心向上順左手肘外上鑽與左手相齊(爲偷桃)左手俟右手相齊之時。左手心向上扭勁。此時兩手心皆向上。兩掌相對。名爲白猿獻菓。

第三節　猴形　猿猴偷桃獻菓圖

第四節 猿猴上樹

再進步。兩手下翻半陰半陽擺的與心口相平。左手順肩。肘順肋。右手抱

第四節 猴形 上樹圖

左肘上。左足先進。右足尖向外斜橫。與兩手下翻之時。同時再進。名爲猿猴上樹。



第五節 猿猴順水推舟

右足落地未停之時。左足速往前進。左右手順勢推出。爲順水推舟。一二

第五節 猴形 推舟圖

三四勢。手足不停。連環一氣演習。不可中間停勢爲佳。

## 第六節　猿猴摘菓

推舟勢的兩足足根尖再起落不進。雙手下落。身要曲頭要頂。再推出仍落推舟勢。再落下左手回撤至左肋。右手上

第六節　猴形　摘菓圖

起與肩相齊。中指無名指小指皆拳回。大指食指前伸如月芽形。眼看右手虎口。為右手摘菓。

## 第七節　猿猴墜枝

左足不動。右足斜橫足尖向外前進。左手順右手背與右足前進之時同時前出。如鷹捉之勢。兩手再隨時上起。右手

第七節　猴形　墜枝圖

心向外向上擰勁。擰至齊右眉。左手向裏合至手心朝上。順鼻眼看左手大指稍。成左肩右膝斜勢。為猿猴墜枝。

第八節　猿猴登枝

右足不動。左足與墜枝同時提起。與胯相平。登出。踏人肋穴。或心口氣海。

第八節　猴形　大登枝圖

隨心應用。頭頂住勁。腰要活潑。看敵人之肩尖。名爲猿猴大登枝。



第九節　猿猴轉身右手封猴掛印

左登枝之足不落地。隨右轉身之時落在右足根後。足尖向裏扣。右足俟左足落時。速往前進。仍成踡對脛之斜勢。

第九節　猴形　右手掛印圖

左手曲回扣在右肩上。右手下抱左肋。俟轉身右足前進之時。左手順身下落至心。右手上起齊頂。名爲右手封猴掛印。

第十節　猿猴扒杆

再換勢。將左手從心口處望著右手上邊出去。右手抽回右肋。左足與左手出時同進。再進步如鷹捉之勢。數之多寡

第十節　猴形　扒杆圖

自便。如回身左手左足再轉身。練扒杆法兩手心半陰半陽如同上樹之形。

第十一節　猿猴轉背回身法

左手左足在前右轉身。轉時。左足尖往回裏扣勁成斜橫。右足隨身轉仍順。左手隨身轉時拳回扣在右肩上。手心向

第十一節　猿猴轉背回身圖

肩尖如同扣住一般。次將右手隨身轉時上起齊眉。左手下落至肋。兩手分開皆用抖力。爲回身右手封猴掛印。

第十二節　猿猴扨繩

右手封猴掛印。回演再換勢。右手右足抽回。右手抽在右肋。右足提回與左足相齊足尖點地左手順右手抽回時前進。高與眉齊胳膊灣曲身要三曲勢。頭頂勁。腰塌勁身正。眼平爲十二勢。

第十二節　猿猴扨繩圖

第十三節　附右手掛印十三圖

回身後之提足路線

再換勢。左手抽回。右手右足再前進。仍落右手掛印。附十三圖。

第十四節　猴形回演

猿猴偷桃獻菓與三節相同

第十五節　猴形回演

猴形上樹與四節相同

第十六節　猴形回演

猴形順水推舟與五節相同

第十七節　猴形回演

猴形摘菓與六節相同

第十八節　猴形回演

猴形墜枝與七節相同

## 第十九節　猴形回演

猴形登枝與八節相同

## 第二十節　猴形回演

猴形轉身左手封猴掛印與九節相同

## 第二十一節　猴形回演

猴形扒杆與十節相同

## 第二十二節　猴形回演

猴形轉背左手封猴掛印與十一節相同

## 第二十三節　猴形回法

猿猴扨繩與十二節相同

## 第二十四節　猴形回演

猿猴左手封猴掛印與十三節相同

## 第二十五節　猴形回演

附猿猴右手扨繩十二節左手掛印十三節圖列後

右手在前。左轉身轉成左手封猴掛印再將左足左手抽回。抽在左肋。左足提回與右手相齊。足尖點地右手順左手抽回時。前進與眉相齊略膊曲灣

附十二節　右手扨繩圖

附十三節　左手掛印圖

身要三曲勢。頭頂勁。腰塌勁。身正眼平。名爲猴扨繩。右手抽回。左手左足前

進。仍落左手掛印收勢休息。

## 第四章　馬形講義

馬者最仁義之靈獸。善知人之心。有垂韁之義。抖毛之威。有蹟蹄之功。撞山跳澗之勇。取諸身內。則爲意。出於心源。故道經名意馬。意屬脾。爲土。土生萬物。意變萬象。以性情言。謂之心源。以拳中言。謂之馬形。以拳法之用。有龍之天性。翻江倒海之威。此拳外剛猛而內柔和。有心內虛空之妙。有丹田氣足之形。拳形順則道心生。陰火消滅。腹實而體健。拳形不順。則心內不能虛靈而意妄。氣努。五臟失和。清氣不能上升。濁氣不能下降。手足亦不靈巧矣。故曰人學烈馬蹟蹄功。戰場之上抖威風。英雄四海揚威武。全憑此勢立奇功。學者於此形。尤宜注意而深究。步徑直。兩步一組。如下圖。

### 第一節　馬形進步路綫

第二節馬形右起勢一圖

## 第二節　馬形右起勢

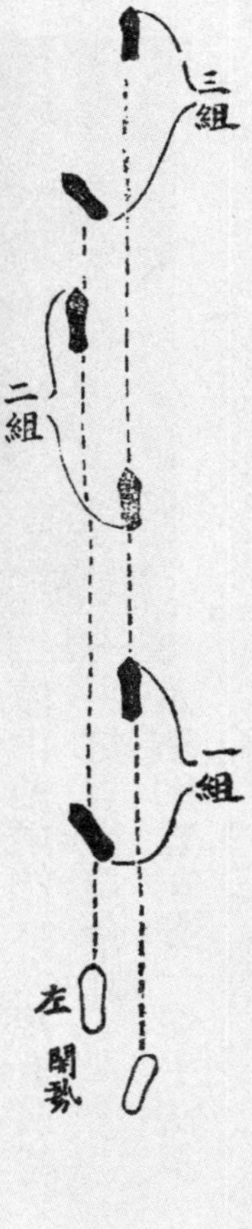


三才勢。先將左足尖。向外橫。斜著墊步。左手同時攥上拳。向裏平著合勁。合至與肘相平。成半圓形。扣爲陽拳。虎口向裏與心口平齊。右手亦同時攥上拳。向裏摔勁。手心朝上。順身向前伸至左手腕下。距離二三寸。後肘直對心口停住。兩肩裏扣。頭頂勁。身子陰陽相合。目前平視。此勢謂之馬形。搖身。即伏身前進之意也。

第三節　馬形換勢

左足不動。右足向左足前進步著地。右手同右足。進時極力向前伸勁。抖出與右膝相順。左手亦同時向後拉勁。拉至右肘下。仍陽拳停住。兩肩向外開展。頭頂勁。身抖勁。目視右手大指根節。此勢謂之馬形。抖毛硬撞山。前兩勢承上接下。演時一氣貫徹爲合宜。

第三節馬形換勢二圖

再演則爲左勢。一切手法步

法。仍與前右勢勢法相同。循環左右。兩勢互相更換。次數多寡自便。

## 第四節　馬形回身法

左足在前右轉身右足在前左轉身。此勢右足在前。左足在後。轉身時。先以右足順左邊向後回扣至左足根後。身勢亦同時順左邊　向後轉。面右手扣成陽拳。右肱仍作半圓形。虎口朝裏向懷中合勁。左足亦隨身回轉。時足尖向前。左手仍作陽拳。扣在胸上。與右膝相順。身斜步坳。頭頂肩扣。目前

第四節馬形回身三圖

平視。謂之馬形。搖肩伏身。勢如第二節一圖。再進步換勢如第三節二

圖。收勢歸原地休息。

馬形左轉回身路線

## 第五章　鼉形講義

鼉者。水中物。龍之種。身體最有力。而最靈敏者也。有浮水之能。有翻江倒海之力。取諸身內則爲腎。以拳中之性能用其形。外合內順。練之能消心君浮火。助命門之相火。滿腎水。活潑週身之筋絡。化身體之拙氣。拙力。拳形順。丹田氣足。而眞精補還於腦。身輕如鼉之能與水相合一氣。而能浮於水面矣。拳形逆。則手足肩胯之勁。必拘束。而全身亦必不靈活矣。故曰鼉形須知身有靈撥步之中藏奇精。安不忘危。危自解。與人何事須相爭。正此之謂也。學者。須加以細心研究。方不錯謬也。步法與各形勢不同。左足進步着地。右足緊跟相對。兩足脛骨相磨。不著地隨進。右足著地。左足緊跟。不落地隨進。步徑斜曲。一步一組。左右進步相同。

## 第一節 鼉形進步路線

下圖內圓圈如〇者懸足之表示

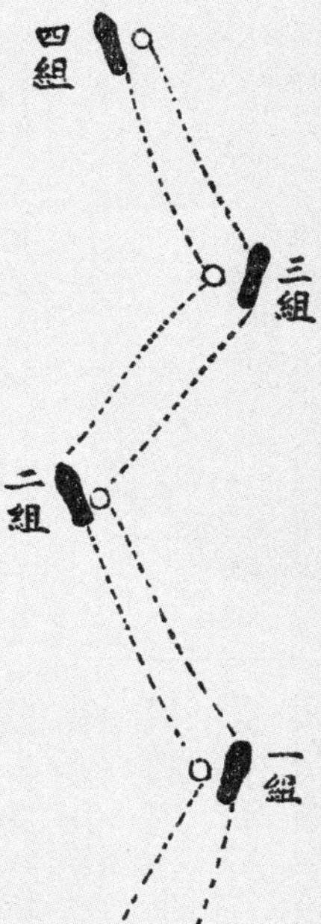

## 第二節　鼉形右起勢

三才勢。開勢先將左足向前墊步。右手同時向裹摔。摔至手心朝上。將中指。小指無名指。三指。曲回。只將大指食指如八字勢伸張。從右往左肋上躦。躦至肘與左膝相順。掌與鼻尖相齊。左手亦同時往回拉。拉至左胯。中指小指無名指三指曲回。大指食指如八字勢伸張。成陽掌。頭頂身拗陰陽相合。目視右手食指稍。

第二節鼉形右起勢圖一

## 第三節　鼉形右落勢

前左足右手出發時。即將右足提起。至左足脛骨處。似靠未靠。不可着地。向右斜進步。右手掌亦同時向外擰。橫勁斜出至極度。下翻成陽掌。與右膝相順。手指仍存原勢。目視右手食指稍。演此左右二勢。身肩與腰合成一氣。挒開身勢。如鼉在水中相浮之意。

第三節鼉形右落勢圖二

## 第四節 鼉形左起勢

再演左勢。左手從左肋向裏擰。擰至手心朝上。順右肱上鑽。成陰掌。與鼻相齊。仍三指拳回。二指伸開。與右膝相順。右手亦同時撤回。陽掌停在右臍。身勢陰陽相合。目視左手食指尖。

第四節鼉形左起勢圖一

## 第五節　鼉形左落勢

左足進步。與右足脛骨相靠。不著地。再向左邊斜着進步落地。左手亦同時向外摔。橫勁斜出至極處。下翻成陽掌。與左膝相順。手仍存原勢。身肩搖開目視左手食指稍惟演此形起落二勢。手足之分合。兩肩之搖動。與腰貫爲一氣。不可中間隔斷左右互相換勢手足身法均同。數勿拘。

第五節鼉形左落勢圖二

## 第六節　鼉形回身法

左手在前。右轉身。右手在前。左轉身。轉身時。左手伸出。左足落地時。右足不可落地。即速極力回返。進步身子隨着右足向右轉。右手仍橫勁斜着出去。左手左足隨後跟着。亦與左右二勢。手足身法起躦裹翻練習均相同。收勢歸原地休息。

第六節鼉形回身法圖

右轉回身路線

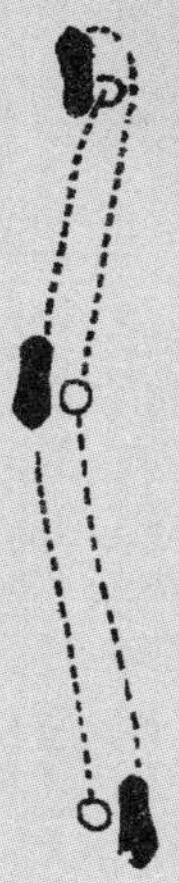

## 第六章　鷄形講義

鷄者。最有智謀信勇靈性之物也。故晨能報曉。其性雖屬禽而功於陸性善鬥。鬥時皆以智取。口剛而能啄。兩腿連環能獨立。爪能抓且能蹬生威抖擻。能騰空。進退無時。往來無定。全身應用隨時生能。以拳之應用力量最大。故取為鷄形。取諸身內為脾。脾健。則五臟充。屬土。土生萬物。故鷄形之性。能有萬法。故曰將在謀而不在勇。敗中取勝。逞英雄。試看鷄鬥虛實敏纔知羽化有靈。通練之。形勢順則脾胃活。有羽化之功。形勢逆則脾衰胃滿。五臟失其調和矣。學者宜虛心誠意。格物至致。始得生化之道。焉步徑曲直。三步一組。無有定勢。路線如下圖。

## 第一節　鷄形進步路線

圖例乃高提足提膝至心口為度

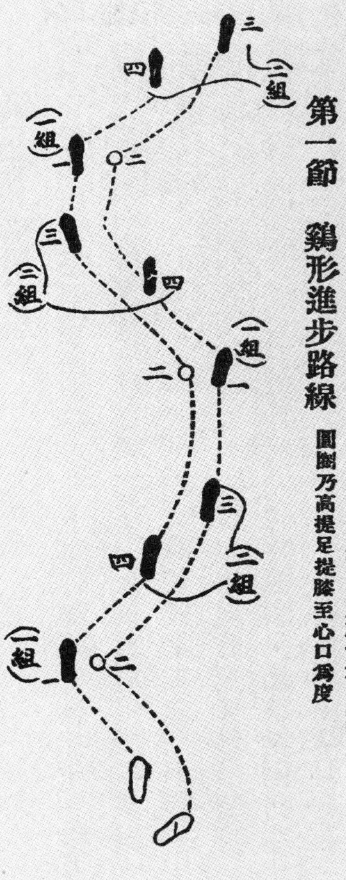

## 第二節　鷄形右起勢

起首三才勢。先將左足斜着向前墊步。左手同時翻掙成陰掌。向上往左平合與右肩相順。右手亦同時翻成陰掌。向左手腕下伸出。兩肱作交义勢。右腿亦同時提膝上起。拳至兩肘中間。足心向外。兩手掌再向左右分開。手心朝前。頭頸挺勁。氣降身伏。兩肩合扣。目視兩大指中間。此勢謂之金鷄獨步。

第二節鷄形右起勢圖一

## 第三節　鷄形右落勢

第三節鷄形右落勢圖二

換勢。右提足向右斜着前進步。兩手同時向前極力分開撲出。如撲物之勢。左足亦同時再跟步。頭頂。腰塌。兩肘相對。目前平視。停住。再換勢。此勢謂之金鷄打脚翅。

## 第四節 雞形左起勢

將右足向前斜着墊步。右手同時翻捧成陰掌。向上往左平合。與左肩相順。左手亦同時翻成陰掌。向右手腕下躦出。兩肱作交义勢。左腿亦同時提膝上起。腿膝曲屈在兩肘中間。足心向外。兩手掌再向左右分開。手心朝前。頭頸挺勁。氣降身伏。兩肩合扣。目視兩大指中間。如右起勢圖一。

第四節雞形左起勢圖三

## 第五節　鷄形左落勢

第五節鷄形左落勢圖四

換勢。左提足向左斜進步。兩手同時向前極力撲出。如撲物之勢。右足亦同時跟步。如右落勢二圖。再演則左右互相換勢。手足身法。與前起勢一。落勢二。相同。次數多寡自便。

## 第六節　鷄形右轉回身法

左足在前右轉身。右足在前左轉身。轉身時。先將左足返扣步。扣在右足後。右足提起。足根靠在左足裏脛骨。足尖着地。兩手同時翻成陰掌。

第六節鷄形回身法圖五

向左右分開。兩肱曲伸。與右肩相平。目向右平視。此勢謂之金鷄大抖翅。再進步換勢。仍與起勢一圖。落勢二圖相同。左右回身變勢。皆依此法。收勢歸原地休息。

右轉回身路線

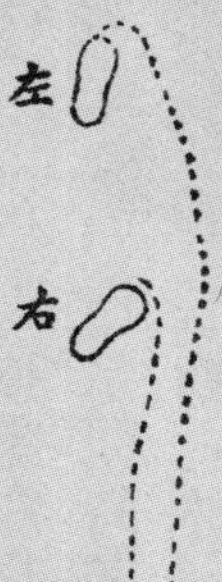


# 第七章 鷂形講義

鷂者。飛禽中最雄勇靈敏之物。其性能有翻身之巧。入林之奇。展翅之威。束身而捉物。且有鑽天之勇性。取諸身內能收心臟之氣。取之於拳能舒身縮體。起落翻旋左右飛騰。外剛內柔。靈巧雄勇。是爲鷂子之天性也。形勢順。則能收其先天之祖炁。而上升於天谷泥丸。形勢逆。則心努氣乖。身體重濁。而不輕靈矣。故曰古來鷂飛有翺翔兩翅居然似鳳凰。試觀擒捉收放翅。武士纔知這勢強。學者於此形最當注意研究。靈光巧妙。方能有得。而終身用之不盡也。步徑曲直無定。路線圖如下。

## 第一節　鷂形進步路線

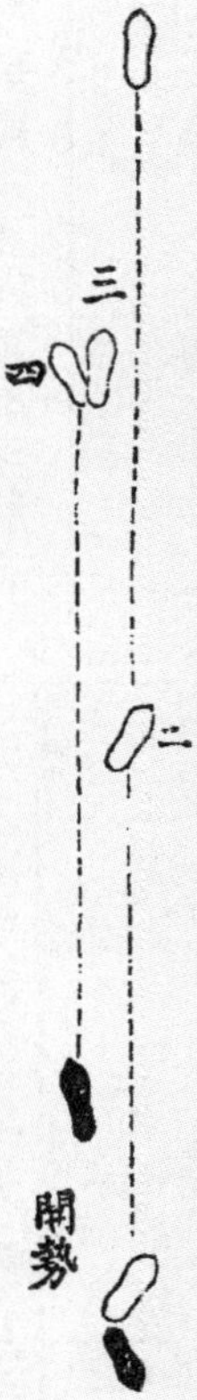


## 第二節　鷂形右起勢

三才勢兩足不動。將身向後合捽勁。捽的左骸斜直。左手亦同時向裏合勁。合至手成陰掌。至左肩肘至胸右手亦同時向外捽勁。捽至手掌向外與右眉相齊。目順左肩平視。此勢名鷂子回頭。又謂之鷂子翻身。

第二節　鷂子回首圖

## 第三節　鷂子入林

換勢。左足不進。右足尖向外斜橫着進步。左右手同時向下合勁。合至兩掌相對。至臍。向前伸開。右手平臍。左手與鼻齊。兩掌相對。兩肱直伸。目視左手指尖。此勢名爲鷂子入林。

第三節　鷂子入林圖

第四節　鷂子捉雀

第四節鷂子入林捉雀圖

換勢右足不動。左足向前進步。右手亦同時緊抓成陰拳。向後拉勁。至右胯停住。左手亦同時向下塌勁。順左膝頭。頂身挺目平視。此勢謂之鷂子入林捉雀。

## 第五節　鷂子抖翎束身勢

換勢右足不動。左足稍動。將足尖向外斜橫。右手亦同時向後拉勁。拉的路膊至身後。向上起。似畫圓圈形。再向前劈落。此謂之抖翎。落下至左肘下。左手亦同時回拉。俟右手至肘下時。順身向前抱右肩上。兩肩合扣。兩肱似捆。目順右肩平視。此勢名爲鷂子束身。

第五節鷂子抖翎束身圖

## 第六節　鷂子躦天

換勢。左足不動。右足向前進步。左手亦同時向後拉勁至胸前。右手拳亦同時向前上起。躦勁成掌。手心朝下。高與頭頂。此勢名爲鷂子躦天。

第六節鷂子躦天圖

前一二三四五勢。承上接下。要連環一氣演習。總名曰鷂形分段曰返身入林。捉雀躦天。此爲右勢鷂形。再進步換勢。練左勢鷂形躦天。與三才勢一二三四五勢之手法步法均同。左右演習一理。次數多少勿拘。

## 第七節　鷂子回身法

左足在前右轉身。右足在前左轉身。轉身時。將左足向後轉身成直順。右足亦同轉身時。向左足前足尖向外斜橫進步。將右手下落至臍。與左手相對。似右足着地時。雙手向前伸開。右手順臍。左手齊鼻。雙掌相對。兩肱直伸目視指尖。此勢謂之鷂子返身大入林。

第七節鷂子左轉回身圖

鷂形返身左轉進步線

收勢仍還於起點處停住休息

## 第八章　燕形講義

燕者。禽之最輕妙最敏捷者也。性有抄水之巧。躦天之能。飛騰高翔之妙。動轉無聲之奇。取之於拳而為燕形。取諸身內則為肝肺。肝主筋。肺主皮毛。且氣之機關也。氣活則神清。百病不生。氣有輕清之像。故拳中燕形生輕妙之靈。形勢順則筋絡舒暢。心內虛空。氣順而有上升下降之能。形勢逆則氣拘筋滯。身體重拙而不靈捷矣。故曰一藝求精。百倍功功成。雲路自然通。扶搖試看燕取水。纔識男兒高士風。學者於此形尤當虛心細究。路線一步二步如下圖。

### 第一節

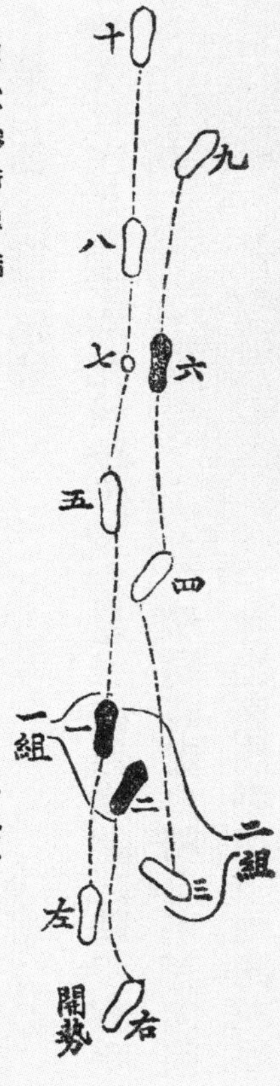

## 第二節　燕形起勢

三才勢。先將左足墊步。右足後跟步。至左足根後。似崩拳之跟步。右手拳同時虎口朝上。平著向前伸出。與崩拳出手相同。左手停住不回。俟右拳伸至極度。將手扣住右手腕。頭頂腰垂。目前平視。

第二節燕形一圖

第三節　燕形換勢

右足向後倒退一步。右手拳同時向外擰上起向回拉至右眉上。拳心朝外。身子隨同向回扭勁。扭至小腹放在右大腿根上。左手左足停住原勢不變。目視右拳手背。

第三節燕子返首右抖翎圖二

第四節　燕形換勢

兩足原地不動。右手拳向裏合扣。拳心朝下。順身下落至胯。左手同時向懷中合勁。合至手心朝上。擄上拳。順身向前蹚出。高齊左肩。與左膝相順。身子隨拳蹚時。向前扭勁。目視左陰拳。此勢謂之燕子回身左抖翎。再變勢。兩足存原勢。左手向裏合扣。拳心朝下。順身下落至胯。右手拳同時向懷中合勁。合至拳心朝上。順身向後往右蹚出。齊肩順膝。身子向右扭勁。謂之燕子右返首。再抖翎。再變勢。右手拳裏扣下落。左手拳裏合外蹚。身子仍向左扭勁。歸原勢。但演燕形。兩目隨左右手變化之轉移。燕形有左右抖翎之巧。故詳細解釋。以爲學者參考焉

第四節燕子回身左抖翎圖三

第五節　燕形換勢

右足尖向外斜着進步右手拳同時向裏撑至手心朝上向前順左肱肘裏上鑽至

第五節燕子鑽天圖四

極度陰拳齊額左手陰拳亦同時退至右肘下身斜步拗頭頂肱曲目視右手陰拳此勢謂之燕子鑽天。



第六節　燕形換勢

左足向前直着大進步。將骸曲伸。左手拳虎口朝上同時向前極力伸開。至極

第六節燕子返首右大抖翎圖五

度。與膝相順。右手拳亦同時向外撑往回拉勁拉至拳心向外。至右眉上停住。身子陰陽相合。目視左手拳。此勢謂之燕子返首右大抖翎。

第七節　燕形換勢

右足尖向外斜橫着進步。右手同時向後拉下落半圓形。至胯前。將拳伸開。翻成陰

第七節燕子抄水圖六

掌。極力向前伏身伸開。左手亦同時陽拳退至右肱肘。下身曲伏腿。摔坳左足根欠起。目視右陰手掌中。此勢謂之燕子抄水



第八節　燕形換勢

兩足不動。右手攥上拳。向外摔往後拉勁。拉至右眉上左手拳同時向右拳手腕外

第八節燕子束身圖七

蹬出。兩拳成十字勢。兩拳手心皆朝外。目前平視。此勢謂之燕子束身。

第九節　燕形換勢

右足不動。將䟕曲立。左足進步提起。足掌緊靠右䟕中曲。兩手拳同時向左右分開

第九節燕子大展翅圖八

成陽掌。順肩平乳。頭頂勁。身半斜勢。目前平視。勢謂之燕子大展翅。

第十節　燕形換勢

左提足先向前進步。右足尖向外斜橫着。進步右手掌擆上拳。同時往前虎口朝上

第十節燕子束翅圖九

平着極力直伸。如打崩拳勢。左肱不拳回。將手扣着右拳手腕上。身斜䟕坳。目平視。此勢謂之燕子束翅。

第十一節　燕形換勢

左足向前進步。左手同時向前直進伸開成半陰陽掌。右手往回拉至右胯。陽掌停住。目視左手食指稍。謂之燕形右起勢終。　再演左勢燕形。仍以三才勢起首。再進步換勢。手足身法。互相聯絡。仍與右勢燕形相同。惟練此形各節上下要連環貫為一氣。不可斷隔。方得其眞意。

第十一節燕形勢終十圖

第十二節　燕形回身法

左足在前右轉身。右足在前左轉身。回勢皆以鷹捉勢為法。收勢歸原地休息。

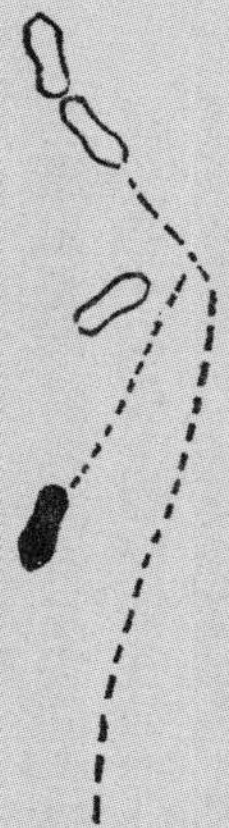

# 第九章　蛇形講義

蛇者最靈活之物也。其性能有撥草之巧。有纏繞之能。曲伸自如。首尾相應。故古時有長蛇陣之法。取諸身內爲腎之陽。用之於拳。能活動腰力通一身之骨節。故擊首則尾應。擊尾則首應。擊身則首尾相應。其身有陰陽相摩之意。因蛇之靈活自如。故拳之命名爲蛇形。練之形勢順。則能起眞精補還於腦。而神經充實。百疾不生。形勢逆。則身體亦不靈活。心竅亦不開朗。反爲拙氣所束滯矣。故曰從來順理自成章。撥草能行逞剛强。蛇形奇語人學會。水中翻浪細思量。學者於此形當勉力求之。靈光巧妙。得之於身心。則終身用之不盡也。步經曲直兩步一組。圖如下

## 第一節

蛇形進步路線

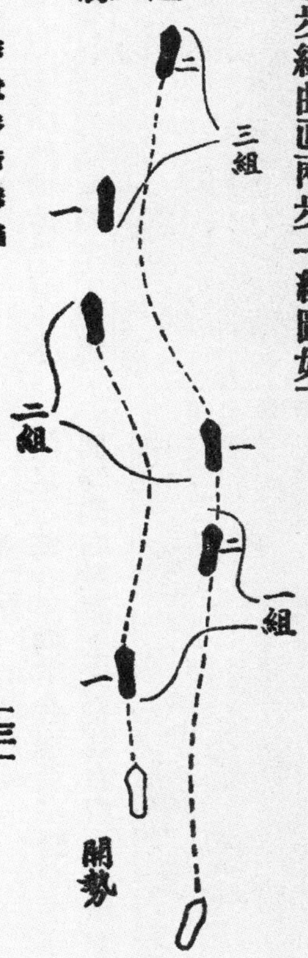

第二節　蛇形右起勢

三才勢。先將左足尖向外稍進步。右手亦同足進時向裏扭扭成陰掌順左手腕裏伸開。與左膝相順。左手亦同時向後拉至右肱肘下。手心朝肘。身子陰陽相合。形勢左肩右膝目視右手中指。爲白蛇吐舌。

第二節白蛇吐舌右起勢一圖

第三節　白蛇縮身

兩足不動。右手向下合抱至左膀。左手亦同時向右肱裏上穿抱住右肩。兩肱相抱兩肩相扣。目順右肩平視。此勢謂之白蛇縮身。又名蟠身。

第三節白蛇縮身二圖

第四節　換勢

換勢。左足稍動右足向右斜前進步。右手亦同足進時。向外往上抖開。

第四節白蛇抖身三圖

手半陰半陽勢順右膝。左手亦同時向後拉勁至左胯。手心朝下頭頂身挺兩肱抖力。目視右手大指尖此勢謂之白蛇抖身。以上之一二三勢。承上接下。運環一氣演習。不可中間隔斷〇再練左勢仍與右勢一二三勢。手法步法。均相同。數勿拘。左右換勢均同。

第五節　回身法

左足在前右轉身。右足在前左轉身。轉身時。前足回扣步後足尖向外斜橫進步左手亦同轉身時。向裏合勁。陰掌順身向前伸出。右手隨轉身時。順身向左肱裏往前伸開。手要陰掌。左手似右手前伸時。順右肱回拉至右肘。身子陰陽相合。目視前手掌。此勢謂之白蛇返身大吐舌。再進步換勢。仍與前勢相同。收勢仍還於原起點地。收勢休息。

第五節白蛇返身吐舌圖

左轉回身進步路線

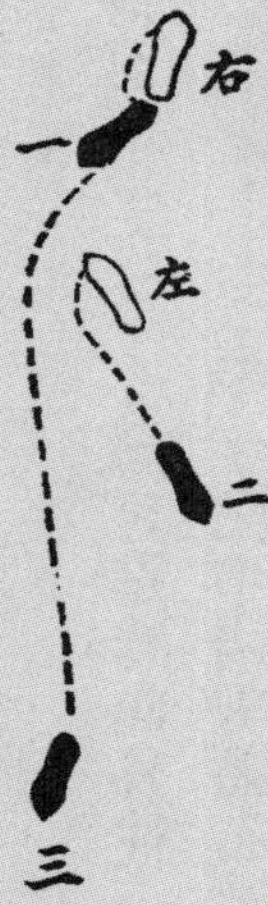

# 第十章　鷂形講義

鷂者。性最直率而無灣曲靈巧之禽也。天性有豎尾上升。超達雲際之勢。下落兩掌有觸物之形。取諸於身內而能平肝。益肺實。爲肝肺之股肱。故以拳形其像一落一起。如雷奔電。以尾之能。如迅疾風變。以性情言之。外猛內柔。有不可言喩之巧力也。形勢順則舒肝固氣。實復而生道心。形勢逆不特全身淤滯。而氣亦不通矣。故曰。鷂形求精百倍明。鷂憑收尾得徹靈。放他兎走幾處遠。起落就敎性命傾所以學者明晰斯理。眞道得矣。路徑斜三步一組。圖如下。

## 第一節　進步路線

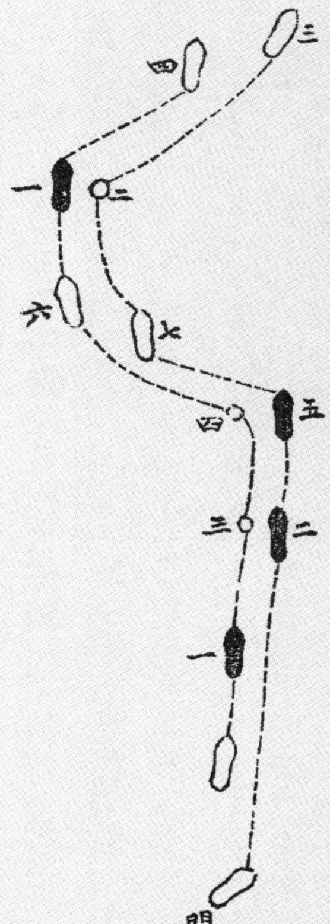

## 第二節　鷂形開勢

開首三才勢。先將右手前伸。與左手相齊。往前向下斜着伸直。左足同時墊步。右足極力向前大進步。左足亦同時再跟步。提起足尖點地。緊靠右足裏踝骨。左右兩手同時攥上拳。俟右足進。左足提跟時。向懷中合抱至臍。翻成陰拳。左拳在右拳之上。緊靠臍根。兩肘加肋

第二節鷂形開勢圖一

頭頂腰塌。舌捲氣垂。目前平視。

第三節　鷂形左起勢

右足向前墊步。左足同時提跟靠右足勁骨。兩拳合抱手心朝裏從胸往上躦至頭正額處。將手腕分向外擰。擰至拳

第三節鷂形左起勢圖二

心向外。兩拳相對停在太陽穴前。相距太陽穴約二三寸遠近。腰下塌勁。目向左平視。

第四節　鷂形右落勢

換勢左足向左斜着進步。兩手拳同時從額處向左右分開。往下落如同畫圓圈勢。至臍拳心朝上。兩肘相對往前伸出分開。右足亦同時再跟步。如虎形之跟步同。

第四節鷂形左落勢圖三

第五節　鷂形左起勢

將左足向前墊步。兩手拳心同時向懷中合抱。順身往上躦至頭正額處。手腕分向外擰。擰至拳心朝外。兩拳相對。

仍停太陽穴前。距太陽穴約二三寸。右足亦同時跟步提起。靠左足脛骨。目向右邊平視。如左起勢二圖。再進步換勢如左落勢三圖。再演。左右互相換勢。

第五節鶻形右起勢圖一

手足身法均相同。數勿拘。

第六節 鶻形左轉回身法

左足在前右轉身。右足在前左轉身。轉身時右足尖向左足傍後進步。左足同時跟步提起。靠脛骨。兩手拳隨轉身時。仍起至頭正額處太陽穴前。再進步左右換勢。回身發手皆依此類推。

第六節鶻形左轉回身圖

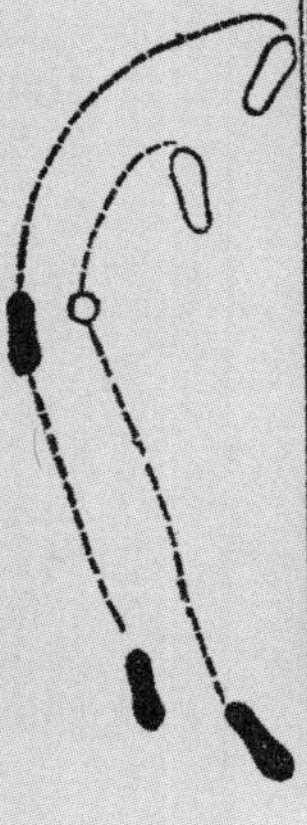

左轉路線

## 第十一章　鷹形講義

鷹者爲禽中最猛最狠之禽也。其性瞥目能見細微之物。放爪能有攫獲之精。其性外陽內陰。取之身內能起腎中眞陽。穿關透體。補還於腦。形之於拳。能仰心火滋腎水。形勢順則眞精化炁。通任開督。流通百脈。灌溉三田。驅逐一身百竅之陰邪。滌蕩百脈之濁穢。形勢逆則腎水失調。陰火上升。目生雲翳矣。故曰英雄處世不驕矜。遇便何妨一學鷹。最是九秋鷹得意。擒完郊兎便起生。學者於此形加意焉。

### 第一節　鷹形進步路線

步徑直一步一組如下圖。

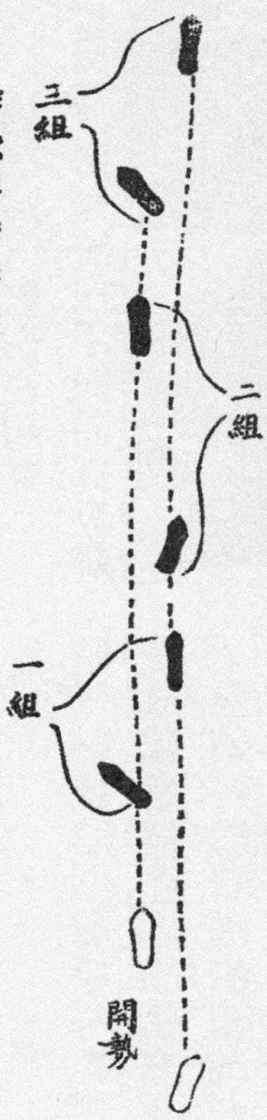

## 第二節　鷹形左起勢

開首三才勢。先將左手向回抓勁。將至臍下翻成陰拳。右手亦抓緊攥成陽拳停在右臍傍。左足再向前斜橫着進步着地。左手拳手心朝上。亦同時順身向前上躦直伸。伸至與鼻相齊。與左膝相順。頭頂身挺肩扣氣垂。目視左手陰拳小指中節。

第二節鷹形左起勢圖一

## 第三節　鷹形右落勢

換勢。左足不動右足向前進步右手拳同進步時。向裏擰勁。勁至手心

第三節鷹形右落勢圖二

朝上。從胸上躦。順左肱肘裏往前直伸。至極處翻扣成半陰陽掌。與心口相平。並與右膝相順左手亦同時順右肱向回拉勁至臍緊靠。兩肩裏扣鬆開。頭頂身挺。舌捲氣垂。目視右手食指稍此左右兩勢。承上接下。要合成一氣練習。再演手足身法。仍與起勢一。落勢二。相同。數勿拘。

## 第四節　鷹形回身法

左足在前右轉身。右足在前左轉身。轉身時左足回扣成斜橫。右足隨進仍斜順。左手同時下落抓成拳至臍翻成陰拳。右手亦同時攥上拳向裏摔勁成陰拳。順身往前上躦直伸高與鼻齊。目視小指中節。再進步換勢。仍與前勢相同。收勢歸原地休息。

第四節鷹形右轉回身圖

## 第十二章　熊形講義

熊者物之最鈍笨者也。性直不屈。而力最猛。其形極威。外陰而內陽。取之身內能助脾中眞陰消化飲食透關健體。使陰氣下降補還丹田。形之於拳有豎項之力。鬥虎之猛。如與鷹形相合演之。氣之上升而爲陽氣之下降而爲陰。謂之陰陽相摩。亦謂之鷹熊鬥志。總之不過一氣之伸縮。前編龍形虎形單演爲開。此二形並習爲合。故曰行行出洞老熊形。爲要放心勝不伸。得來只爭斯一點。眞情寄語有人情。學者明瞭十二形開合之理。可以入道修德矣。

### 第一節　熊形進步路線

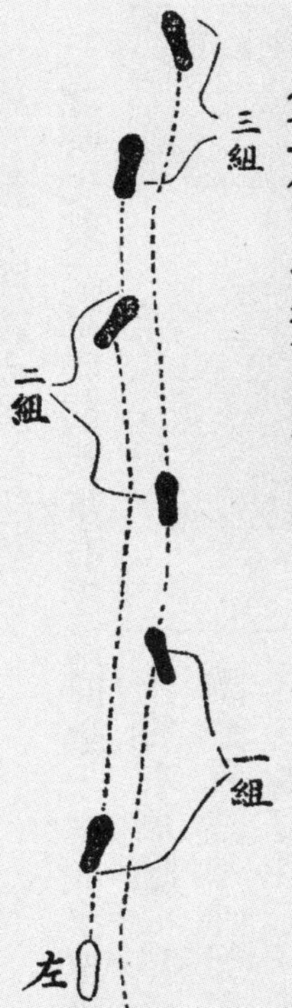

## 第二節　鷹熊合演右起勢

開首三才勢。先將左足向前墊步。右手同時攥上。拳向裏擰至手心朝上。從右肋順心口極力向上鑽。鑽成陰拳伸開。高與鼻齊。與左膝相順。左手亦同時攥上拳向回拉至左胯陽拳緊靠。身坳步順項上直豎。兩肩扣。肱曲伸。目視右手陰拳小指中節。

第二節鷹熊合演右起勢圖一

## 第三節　鷹熊合演右落勢

換勢。右足尖向裏合。斜着往前進步落地。左手拳。同時向裏擰至手心朝上。從胸順右肱裏往前伸出。伸至極處下翻成陽掌。與右膝相順。離膝前四五寸之遠。右手拳亦同時下扣成掌。向回拉至右胯陽掌停住。左足根再同時欠起。足尖點地。兩膝相扣。身子陰陽相合。腰下塌勁。左手右足相順。目視左手食指稍。

第三節鷹熊合演右落圖二

第四節　鷹熊合演左起勢

換勢。右足向前墊步。兩手同時攥上拳。左手拳向回下捋至臍。再順身向上往前陰拳伸出。與鼻相齊。與右膝相順。右手翻成陰拳。仍停右肋。頭頸上頂。目視左手陰拳小指中節。

第四節鷹熊合演左起勢圖

## 第五節　鷹熊合演左落勢

再換勢。左足尖向裏合往前斜着進步落地。右手陰拳同足進時。從胸

第五節鷹熊合演左落勢圖二

順左肱往前極力伸開至極處下翻成陽掌。與左膝相順。與左足相齊左手陰拳亦同時下扣向回拉至左胯陽掌停住。右足根亦再欠起兩膝裏扣身子陰陽相合。頸項直豎腰下垂勁目視右手食指稍。再演。仍與左右兩勢。手足身法相同。數勿拘。

## 第六節　鷹熊合演回身法

左足在前右轉身。右足在前左轉身。轉身時。先將右足尖向外回扭勁。

第六節鷹熊合演回身法

左足同時向右足後前進步。右手摟回同時向裏摔摔成陰拳。從胸上躦齊鼻仍與左膝相順。左手攥上拳仍停左胯。目上視右手陰拳。腰下垂勁再進步。換勢仍與前落勢相同。收勢歸原地休息。

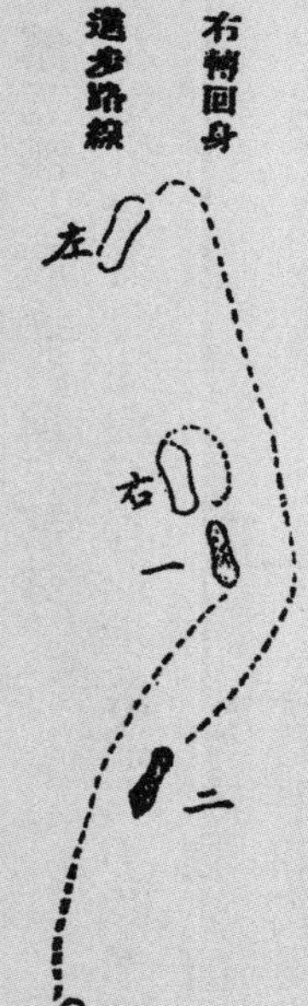

中華民國十八年十月初版

版權所有
翻印必究

2368

編輯者　河北束鹿　薛顛
校閱者　河北冀縣　高志仁
河北武強　蔣馨山
河北定興　李子揚
河北深縣　張春生
河北寶坻　李學志
印刷者　北平公記印書局
發行者　河北天津東馬路天津縣國術館
總代售　天津大胡同大成書局
北平直隸書局
上海英界三馬路震亞書局
奉天鐵嶺公書局
及各省各大書局

形意拳術講義
定價每冊　平裝洋一元二角　精裝洋一元五角

附

# 少林內功秘傳

# 序

易筋經爲少林武術祖師達摩禪所傳授。分內外兩經。內經主柔。以靜坐運氣爲事。非少林正宗子弟。不得其傳。且擅此者。亦不肯輕易授人。守少林戒也。後之練武者。欲自眩耀。往往皆以十二段錦之法化之。以其段數相同。法則相類也。其實十二段錦自十二段錦。易筋經自易筋經。兩經可互而不可盡混者也。至于外經。則主剛。以强筋練力爲事。其法遍傳于世。惟眞本亦殊不多遘。坊間俗本。所載各段。節數雖相同。其法實大有出入。欲覓一完善之本。不可得也。大抵此法盛行于北方。玆編各法。乃得之于山西藥商鄒仲達君之秘授。據云。爲少林山陝支派之眞傳。較尋常坊本爲勝也。法偏重于上肢。實爲練力運氣。舒展筋脉之妙法。每日勤行四五次。百日之後。則食量增加。筋骨舒暢。百病不生。至一二年後。則非但身體强健精神飽滿。且兩臂之力。可舉千斤。即爲平素孱弱多病。力不足以縛雞者。練習一二年。亦可以一掃其孱弱。兩臂增加數百斤之力。至若老年之人。精氣已衰。勤習此法。雖不足以返老還童。亦足以延年却病。江右老人程明志。年已八旬。精神猶如壯年。日徒步三十里不爲苦。嘗爲余曰。予氣體素弱。中年多病。從友人之言。勤習易筋後。不久即康健。四十年中。從未爲病魔所擾。今猶能强健步者。謂非易筋經之功乎。觀乎老人之言。則此法之效力。可以知之矣。玆特將前後兩經練法繪圖列說。印行于世。以公同好。且爲坊間俗本一證其訛。

倜庵識。

# 嫡派真傳 少林內功秘傳 目次

先強健體魄。而後易收明心見性之功也。自此少林武術。遂成一派。時在梁隋之際也。及平宋代。武當道士張三豐。修眞養氣。而得神傳之秘。應召入京。途中遇寇。一夜之間。以單丁殺賊百餘人。其武術亦爲世所推重。從遊以求其技者。亦頗衆多。至是武術除少林一派之外。又增一武當派矣。故今之學武術者。不出于少林。即出于武當。顧少林之術。似屬于剛。專注意于力之作用。而武當之術。如太極八卦等拳法。皆以柔勝。純任自然。而專注意于氣之作用。因此世人又强指少林爲外家功夫。以武當爲內家功夫。殊不知內功外功之分別。並不在下兩家之宗派也。剛柔寓陰陽之理。剛屬陽而柔屬陰。陰陽相濟。始可孕育化生。獨陰不生。孤陽不長。此一定不易之理也。于萬物皆如此。而謂于武術一道。反能越出此理乎。少林派之武術。顯剛隱柔。即所謂寓柔于剛者是也。故亦可以鼓氣以禦敵。武當派之武術。顯柔隱剛。即所謂寓剛于柔者是也。故可以鼓氣以擊人。因皆剛柔相濟。陰陽相生之法。若謂少林有剛而無柔。武當有柔而不剛。則我實未見其可也。惟因此而宗派出矣。宗派既分。門戶斯立。如同學于少林門下之人。因師父之不同。而手法稍異。則必號于衆曰。我師何人也。我之所學某家之行派。甚有一知半解之徒。略習皮毛。即變更成法。專取悅目。而自鳴得意。自立門戶。以期眩耀于世。此于少林武當二派之外。又有所謂某家拳某家刀拳。但一究其實。則其本源要不出二派也。至于內外功夫。二派中本皆有之。惟後人門戶之見太深。凡學少林派者。則指武當爲柔術。而不言其外功。學武當派者。則指少林爲外功。而不言其內功。積久而此種見解。隨成爲學武者之通病矣。今試執一略知武術者而詢其內功之源流。則彼必猝然而對曰。是出于道家。而武當實其嚆矢。若語少林內功。彼必嗤爲妄言。而必不肯信。斯非過甚之言也。世間萬事。只要門戶之見一深。即易發生此弊。固不僅武術然也。即以文事喻之。孔孟之徒。必斥楊墨。而楊墨之徒。必非孔孟。其實孔孟之學。固足爲法。而楊墨之學。亦有可取。其所以不能相容而互相排斥者。門戶之見深也。故予謂欲集各家之長。必先破門戶之見而後可。若斤斤於此。勢成冰炭。無融合之餘地。則兩派之長。固可保持。欲融冶一爐。而推闡演進。以求其最精奧之武術。必不能也。且猶有說者。武當祖師張三豐之武術。亦從少林派中得來。且有謂張實出于少林之門。此說雖無可徵信。不足爲據。而明代著名之武當派武術家如張松溪等。其初固皆從少林派學。後始轉入武當門下者。由此以觀。則兩派固可相容。而不必互相排斥者矣。其實少林派中。各種功夫。並非完全爲外功。亦自有內功在。易筋洗髓二經。所列各法。而能稱之爲外功乎。更進一步言之。道家鍊氣而講胎息。佛家養氣而講禪定。我人試就此胎息與禪定二事。而究其妙用之所在。其理果有所異乎。一則心中念念在道。一則心中念念在佛。表面雖微有不同。實際則互相吻合。此所謂殊途同歸者是矣。予不揣鄙陋。而有此少林內功之編。非必欲苟異于人。而强別于武當派之內功。實因少林亦固有其內功。以世人忽視而不傳。甚爲可惜。故不厭詞費而述之。使世之學武者知少林亦非專以外功見長也。更願學武者皆平心靜氣。破除門戶之見。將兩派之內功。互相參證。而求融合發明之道。使達最高無上之域。則强種强國。固可于此中求之。而益壽引年之機。亦寄於此焉。須知內功入手極難。不似外功之舉手投足及拔釘揷沙之簡易。但練成之後。雖不能白日飛昇。然身强力健。上壽可期。願學者毋畏其難而却步也。

## 內功與外功之區別

凡練習武事之人。除各種拳法之外。必兼練一二種功夫以輔其不足。蓋以拳法爲臨敵時動作之法則。而功夫則爲制敵取勝之根本。若練就功夫而不諳拳法。應敵時雖不免爲人所乘。其吃虧尚小。若單知拳法而不習功夫。則動作雖靈敏。要不足以制人。結果必大吃其虧。故有打拳不練功。到老一場空之諺。此功夫之不可不練也。功夫之種類。亦繁複衆多。不遑枚舉。然就大體區分之。則不出乎兩種。即外功與內功是也。外功則專練剛勁。如打馬鞍鐵臂膊等。制人則有餘。而自衛則不足。內功則專練柔勁。如易筋經。捶練等法。皆行氣入膜。以充實其全體。雖不足以制人。而練至爐火純青之境。非但拳打脚踢。不能損傷其毫髮。即刀劈劍刺。亦不能稍受傷害。依此而論。則內功之優于外功。固不待智者而後知也。且練習武術之人。本以强健體魄。却病延年爲本旨。學之兼以防毒蛇猛獸之侵凌。及盜賊意外等患害。非所以教人尚攻殺鬬狠者也。故涵虛禪師之言曰。學武技者。尚德不尚力。重守不重攻。惟守斯靜。靜是生機。惟攻乃動。動是死機。練外功者。劈擊點刺。念念在于制人。是重于攻。若守則此等功夫。完全失其效用。攻則非但足以殺人。亦且足以自殺。故謂之死機。練內功者。運氣充體。如築壁壘。念念在于自保。他人來攻。即有功夫兵刀。皆不足以傷我。我亦處之泰然。任其襲擊。亦不至于殺人。則守之一字。其功正大。既能自保。亦正不必再出守攻人。因攻我者不能得志。勢必知難而退也。故謂之生機。然世之學武者。又恆多練習外功。而少見練內功者。則又何故耶。因外功一事。學習既較爲便利。而所費時日又較短少

無論所習者爲何種外功。多則三年。少則一年。必可見效。如練打馬鞍。三年之後。拳如鐵石。用力一擊。可洞堅壁。餘亦類是。避重就輕之心理。固人人皆有者也。至若內功。則殊不易言成。一層進一層。深奧異常。學之既繁複難行。而所費時日。亦必數倍于外功。且不能限期成功。故人皆畏其難而卻步矣。他派固勿論。即投身少林門中者。彼未始不知少林一派中亦有精純之內功。顧皆捨此而習外功者。實避重就輕之心理使然也。至練習內功。略無根基。入手即練。其難自不待言。若意志堅強。身體壯健。而其人又具夙慧者。練此最爲相宜。因內功固重于悟性也。

## 武術內功與道家內功之異同

武術中之所謂內功者。是否與道家之內壯功夫相同。此問題急須解決者。大概今人之言內功者。皆指道家煉丹修道之內功而言。所以謂少林係外家而無內功者。亦由于是。蓋少林爲釋

氏之徒。以拯拔一切衆生爲旨。非專修一己之壽命者。故無所謂煉丹等事。因此外界遂以爲既無修煉之術。自然決無內功之言矣。此誠極大之謬誤也。殊不知武術中之內功。與道家之內功。固截然不同。二者可相印證。可相發明。而絕端不能混爲一談也。然其間亦微有相同之處。即運行氣血以充實身體是也。兹且分述其不同之點。以證明武術中之內功。非即道家之所謂內功也。亦所以證武術中之內功。少林派中。亦自有之。而非武當所專擅者也。夫道家之所謂修煉者。其主旨在于證道成仙。其練法則重于運氣凝神聚精。使三者互相結合。將本身內陰陽二氣相融會。而名之曰和合陰陽。陰陽既和。又必使其精神媾合。如行夫婦道。則名爲龍虎媾。既媾之後。精神凝聚。如婦人之媾而成孕。則名爲聖母靈胎。待此靈胎結成。而具我象。則名爲胚育嬰兒。而大丹成矣。由此而證道登仙矣。練此者爲內功。而彼以燒鉛練汞者。固不與焉，然其所謂內功。雖非如是簡略容易。但就此以推求之。則與武功。竟無絲毫之關係。雖證道之後。成爲不壞之身。而不虞外面之侵害。但成者。古今來能有幾人哉。至於武術中之內功。則無所謂靈胎胚育等能事。惟運氣則相同。其主志在于以神役氣。以氣使力。以力固腳。三者循迴往復。周行不息。則身健而肉堅矣。吾人之生也。固全恃乎氣血。而氣之運行。完全在于內府。而外與血液依筋絡而循行相應。而體膜之間。氣固不能達也。武術內功之所謂內功者，即將氣運于內膜。而使身體堅强之法也。亦非如道家修煉之氣注丹田。融精會神也。此功練成之後。雖不能名登仙籍。長生不老。而全身堅實。我欲氣之注于何處。則氣即至何處。氣至之處。筋肉如鐵。非但拳打足踢所不能傷。即劍刺斧劈。亦所不懼。以氣充于內也。後所謂金鐘罩鐵布衫等法。僅練得內功之一部分而已。實未足以語此也。此等功夫。練者雖不多。然吾人猶能于千百人中。見其一二。非若眞仙不能一見者可比也。此武術中之內功。練習較外功固繁難倍蓰。然較諸道家之內功。猶容易不少也。

## 內功之主要關鍵

練習內功。極難入手。非若練外功之專靠肢體之動作。與勤行不怠。即可收效也。因內功之重者。在于運氣。我欲氣至背。氣即充于背。我欲氣至臂。氣即充于臂。任意所之。無往不可。斯能收其實用。試思欲其如此。談何容易。夫氣本不能自行。其行。神行之也。故在入手之初。當以神役氣。蓋入手時毫無根基。而欲氣之任意運行。而無所阻梗。固所不能。所謂以神役氣者。即從想念入手。如我欲氣注于背。我之意想。先氣而達于背。氣雖未到。神則已到。如此久思。氣必能漸漸隨神俱到。所謂氣以神行者是也。此一步法則。亦極難辦到。由意想而成爲事實。頗費周折。萬事皆然。不僅行功已也。在初行之時固定一部。而加以運用。先則意至。次則神隨意至。終則氣隨神至。達最後一步後。再另換一個部分。依法運行之。如此一處處逐漸更換。以迄全身。乃更進一步。使氣可隨神運行全身各部。而毫無阻滯。斯則大功可成矣。惟以神役氣四字。言之匪艱。行之惟艱。練至成功。其間不知須經過多少周折。而行功惟一之關鍵。即在于此。行功所最忌者。爲粗浮、躁進、貪得、越躐、等事。練習外功者固亦忌此。然練習內功。忌之尤甚。因外功如犯此數忌。雖足以爲害。而其害僅及肢體。如內功而犯此等弊病。其爲害入于內部。肢體之傷易治內都之傷難醫。故務須注意焉。且每聞有因練習內功。而成爲殘廢或發瘋癲癱瘓等症者。人每歸罪于內功之遺害。殊不知彼于行功之時。必犯上述之弊病而始致如此。蓋粗浮則神氣易散。躁進則神氣急促。越躐即氣不隨神。貪得則神敗氣傷。要皆爲行功之大害。且犯此弊病者。頗不易救。因我人之生存。全憑此一口氣息。氣存則生。氣盡則死。氣旺則康强。氣散則疾病。運行不當。其足以致害也。不言可知矣。粗心浮氣之人。運氣不愼。而入于岔道。不能退出。如走入盡頭之路。勢必成爲殘疾。若躁進越躐。功未至而欲强之上達。則如初能步履之兒。而使跳躍。鮮有不仆者。癱瘓瘋癲一類病症。實皆由此而致。非內功不良之足以遺害。實練習者不自審愼。以至蒙其害也。凡練習內功之人。對于此種關鍵處。能加以注意。則難關打破。不難成功矣。我故曰貪多務得。非但不能成功。且輕則害及肢體。重則危及生命。實自殺之道。非練功之本旨也。願學者愼之。

## 練功與修養

練習武功之本旨。實在于煆煉身體。使之堅實康强。亦所以防蟲獸盜賊之患。非救人以好勇鬪狠爲事也。故涵虛禪師有學習武術。尙德不尙力之語。夫至德所及。金石可開。豚魚能格。初不必借重武力。而始可使人折服也。故學習武事之人。對于道德之修養。亦爲最重要之事。若不講道德。專事武功。雖未始不足以屈人于一時。然終不能使人永久佩服。蓋力足以屈人之身。而不能人之心也。每見武術功深之人。謙恭有禮。和藹可親。縱有人辱之于通衢。擊之于廣座。彼亦能忍受。韜晦功深。不肯輕舉妄動以至人于傷害也。蓋彼功夫旣精。若不如此。則舉手投足間。皆足以殺人。殺人爲喪德之事。故不爲也。惟彼略得一二手勢。粗知武功皮毛者。則粗心浮氣。揚手擲足。欲自顯其能爲。尤爲小事。甚則好勇鬪狠。動輒與人揮拳。勝亦無益。敗或殘身。且偶然之勝。亦不可終恃。結果必有勝我之人。此俗語所謂有丈一還有丈二者是也。此等舉動。實爲自殺之道。去學武之本旨遠矣。以項羽之勇。而終敗于烏江。非武功之不逮。德不及也。故德性之修養。宜與武功同時並進。而品性優良之人習武事。則保身遠禍。性情殘暴之人習武事。則惹禍招非。此一定不易之理也。昔聞有投身少林學習武事者。主僧默察其人。趾高氣揚。傲慢特甚。與之語。尙豪爽。乃留諸寺中。初不教以武技。惟每日命之入山採樵。日必若干束。雖風雨霜雪。亦不能間斷。不滿其數。則繼之以夜。稍忤意志。鞭撻立至。其人歷盡折磨。惟以欲得其技。含忍待之。經三年之久。驕氣消磨殆盡。主僧始授以技。此非故欲折磨之。實以其驕矜之氣太重。學得武功。深恐其在外肇禍。累及少林名譽也。顧此乃他人消磨之。非自己修養也。少林十條戒約之中。亦有戒殺及好勇鬪狠一條。此又可見少林武術。對于德性之修養。亦甚注意也。凡武術精深之人。于自身之修養外。對于收徒一事。亦須特加注意。務必擇性情優良之人。始傳以衣鉢。若性情强暴者。儘可摒諸門外。寧使所學失傳。不可將就。因此輩學得武藝之後。好勇鬪狠。固足害人。甚且流爲盜賊。殺人越貨。尤足爲師門之累。是不可不三注意也。既收徒之後。平日除督促其練習功夫之外。對於德性之修養。亦宜兼顧。如此薰陶。則其人將來學成必不至越禮踰分矣。

## 行功與治臟之關係

凡練習武術者。不論外功內功。須以凝神固氣爲主。欲凝神固氣。又非排除一切思慮。袪除一切疾病不爲功。治臟者。即調治內臟。使之整潔。而外邪無從侵入。然後更練習功夫。則神完氣足。成功較易。收效較速。否則內疾不除。外邪易入。縱使日習不輟。非但不能望其有成。甚或受其賊害。故世人往往言習打坐者易成白癡。習吐納者易成癆瘵。此皆未能先行調治內臟。不得其道。致外邪侵入。內疾增盛。而成種種奇病。終至不可藥救也。凡行功十要十忌十八傷等。皆爲治臟法中之最要關鍵。練習內功者。務須牢紀在心。處處留意。迨內臟既完固之後。再依法行功。始可有效。行功之時以子午各行一次爲佳。以子過陽生。午過陰生。合陰陽二氣而融會之。則成先天之象。神思寧靜。機械不作。一切雜念。無由而生。

渾然一氣。成功自易。治臟之訣。只有六字。即呵嘘呼吹嘻是也。每日靜坐。叩齒嚥津。唸此六字。可以去腑臟百病。惟唸時宜輕。耳不聞聲最妙。又須一氣直下。不可間斷。其效如神。其六字行功歌曰。肝用嘘時目睜睛。肺宜呬處手雙擎。心呵頂上連叉手。腎吹抱取膝頭平。脾病呼時須嘬口。三焦有熱臥嘻寧。其應時候歌曰。春嘘明目木扶肝。夏日呵心火自閑。秋呬定收金肺潤。冬吹水旺坎宮安。三焦長宜嘻除熱。四季呼脾上化餐。切忌出聲聞兩耳。其功眞勝保神丹。其贊功歌曰。嘘屬肝兮外主目。赤翳昏蒙淚如哭。只因肝火上來攻。嘘而治之效最速。呵屬心兮外主舌。口中乾苦心煩熱。量疾深淺以呵之。喉結舌瘡皆消滅。呬屬肺兮外皮毛。傷風咳嗽痰各膠。鼻中流涕兼寒熱。以呬治之醫不勞。吹屬腎兮外主耳。腰酸膝痛陽道痿。微微吐氣以吹之。不用求方與藥理。呼屬脾兮主中土。胸膛腹脹氣如鼓。四肢滯悶腸瀉多。呼而治之復如故。嘻屬三焦治壅塞。三焦通暢除積熱。但須一字以嘘之。此效常行容易得。觀乎上列之歌。則治臟之功。實巨。即不欲練習武功者。依法行之。亦可以却病强身。而練習內功之人。對于內臟之調理。尤須格外注意。因內府調和。則神完氣足。利于行功。若內府失調。則神氣渙散。外邪容易侵入。而成內疾。于行功上發生極大障礙。甚或成爲各種奇病。而至不能救治。故舉此法以便學習內功者。于入手之初。先行此法而理其內臟。以免除一切障礙也。

# 內功與呼吸

呼吸一法。在道家稱無吐納。即吐濁納清之意也。呼吸乃弛張肺部之法。夫肺爲氣之府。氣爲力之君。言力者不離乎氣。肺强者力旺。肺弱者力微。此千古不易之理也。故少林派中。對于此事。非常注意。且有費盡苦功。專習呼吸。而增其氣力者。洪慧禪師之言曰。呼吸之功。可令氣貫全身。故有鼓氣于胸肋腹首等部。令人用堅木鐵棍猛擊而不覺其痛楚者。氣之鼓注包羅故也。然欲氣之鼓注包羅。而充實其體內。亦非易事。當于呼吸上下一番苦功也。惟此項法則。在北方本極重視。而南方之武術界中人。似少注意者。後以慧猛禪師。卓錫南中。設帳授徒。于是乃傳呼吸之術。學者漸注意之。今南方武術。亦多重斯道矣。惟呼吸一事。在表面上視之。似極簡便易行。然于時于地。皆當審擇。偶不愼非但不能得其益。反足以蒙其害。此術河南江西兩省之武術界。皆視爲無上妙法。以長呼短吸爲不傳之秘。河南派名爲丹田提氣術。江西派名爲桶子勁。名目雖互異。而實際則無甚區別也。呼吸之練習。亦有數忌。在初入手學習之時。呼吸切須徐緩。以呼吸各四十九度而定。行時徐徐納之。緩緩吐之。不可過猛。亦不可前後參差。第一呼吸其速度如何。則至末一次之呼吸。速度仍依舊狀。其度數自四十九度起。逐漸增加。至八十一度爲止。若呼吸過猛及參差等。皆爲大忌。俱足妨害身體。呼吸之時地。亦極重要。晨間清氣中升。潔淨異常。是時呼吸。最爲合宜。

其地則當擇空曠幽靜之區。則清氣多。口中吐出之濁氣易于消散。吸入之氣。清純無比。若塵濁污穢之地。以及屋中。亦所切忌。以其清氣少而濁氣多也。呼吸之初。不妨以口吐氣。將肺中惡濁驅出。但以三口至七口爲度。以後概用鼻孔呼吸。方可免濁氣侵入肺部之患。呼吸時又須用力一氣到底。始可使肺部之張縮。以盡吐濁納清之用。以增氣力。若完全用鼻納氣。用口吐氣。亦所當忌。呼吸之際。又宜專心一志。不可胡思亂想。心志不寧。若犯此病則氣散神耗。氣散于外。則所害猶小。若散于內。攻動內府。爲害最烈。故思慮一事。亦宜戒忌。以上所述各端。如能加意。則功成之後。周身筋脈靈活。骨肉堅實。血氣行動。可以隨呼吸而貫注。意之所至。氣無不至。氣之所至。力無不至。可謂極盡運行之妙矣。惟此等法則。雖極佳妙。收效則未能神速也。

## 練功之三要

練習功夫者，有三項要務。不可不知。此三項要務。即漸進恒心節慾是也。凡平素未曾練過功夫之人。其全身之脈絡筋骨。縱不至若何呆滯。然亦決不能十分靈活。與練過武功者相較。自有天壤之別。此等人如欲練習武功。不論其爲外功或內功。務須由漸而入。始可逐步練去。而使其脈絡筋骨。隨之而漸趨靈活。若入手之時。即遽練劇烈之術。而用力過猛。必蒙其害。輕則筋絡之弛張失調。血氣壅積而成各種暗傷。重則腑臟受震過度。亦足以發生損裂之患。每見少年盛氣之人。學習武功。而罹殘疾癆傷等症。甚至因而夭折者。世人皆歸咎于武術之不良。實則非武術之咎。全因學者之不知漸進耳。吾人處世立身。無論何事。皆須有恆心。始可有成。學習武功。自亦不能例外。練功之人。既得眞傳之方法。與名師之指點。更當有恆心以赴之。勤敏以持之。方可有成功之望。若畏難思退。見異思遷。或有頭無尾。中途停輟。是其與不學相等。吾人如與人談及此道。愛之者十常八九。惟能勤謹練習。始終不懈。而達成功之境者。實百不得一。是何故哉。豈武功之難。不易練成耶。非也。特學者無恆所致耳。若能有恆心。無論其所練者爲外功爲內功。則三年小成。十年大成。必不使人毫無所得。廢然而返也。更有一事。爲練功最緊要。人所不易免者。即一慾字是也、色慾之禍。固不下于洪水猛獸之爲害。惟洪水猛獸。人尤知所趨避。而色慾一事。非但不知趨避。反樂就之。其中人也深。蒙害乃易。在尋常之人。亦宜以淸以寡慾爲攝生之要務。而在練習武功者。于此尤甚。練習內功。本欲使其精神血氣。互相團結。而致强身健魄之果。色慾一事。實足以耗其精血。散其神氣。而羸弱其身體者也。人身氣血。既經煆煉之後。則靈活易動。倘于斯時而犯淫慾。則全部精華。勢必如江河之決口。潰泛無遺。以至于不可收拾。如此而言練功。又烏足以得其益。反不如不練之爲愈也。故練習內功者。必先節慾。然後可以神完氣足。精血凝固。而收行功之效也。以上所舉三事。實爲練習武功之最要關鍵。于人生有莫大之關係者。而少林門中子弟。對于此三事。皆奉爲至法。不敢輕犯。此亦可見其重要矣。至于組心浮氣之流。略得皮毛。即揚手擲足。。耀武揚威。對于此等關鍵。亦膜視之。蓋非此等關鍵之不足重。蓋彼固不足以語此也。

## 內功之層次

禪分三乘。內功亦分二乘。其下乘者。運化剛柔。調和神氣。任意所之。無往不可。剛非純剛。剛中有柔。柔非純柔。柔中有剛。其靜止也。則渾然一氣。潛如無極。其動作也。則靈活敏捷。變化莫測能運其一口大氣。擊人于百步之外。且無微不至。無堅不入。猝然臨敵。隨機而作。敵雖頑强。亦不能禦。且受傷者不知其致傷之由。跌仆者不知其被跌之故。誠如天矯神龍。遊行難測。有見首不見尾之妙。固不必運用手足。而始能制人也。此種功夫。爲內功中之最高者。古之劍仙。能運氣鑄劍。在百步內取人。有如探囊取物者。即此功也。惟此等功夫。高深已極。不得眞傳。決難練得。且運氣如此。亦非一二年所可成。勢非費盡苦功歷盡磨折。始能如願。其法在今日雖不能謂爲完全失傳。但絕無僅有。能者實不易見。至于中乘。則功夫略遜于此。然亦能剛柔互濟。動靜相因。神氣凝結。雖不能運氣以擊人。亦可以神役氣。以氣運力。使其氣能周行全身。充滿內膜。氣質本柔。運之成剛。以禦外侮。非但拳打脚踢所不能傷。即用利斧巨鎚以劈擊之。亦不足以損其毫髮。此等功夫。少林門中。能者極多。即今日亦甚易見。此步功夫。雖不足制人。但則禦侮有餘矣。武術本爲强身防患而練習。得此外侮不能侵。壽康亦可期。亦已足矣。更何必定求制人不法哉。此中乘功夫。雖可自習。顧其精奧之處。如不得名師指點。亦不易領悟。練習之時。最少亦須六七年。如天性魯鈍之人。或體弱多病之人。則困難尤多。更不止費此六七年也。至于下乘。則不僅不足以運氣擊人。即運柔成剛。用以禦侮。亦感不足。但能將神氣會合。運行于內府。而不能達于筋肉之內膜。其功效則在求內府調和。百病不生。强身引年。以享壽康之樂也。此步功夫。可于治臟法中求之。練習時亦極簡便。但能持之以恆。即有成功之望。固不必如練習中乘上乘之繁複也。大約二年之間。即可見效。且此一步功夫。實爲內功入手之初步。即欲練中乘或上乘功夫者。亦須同時注意于治臟。因內府不清。外邪襲入。即足以發生種種疾病。有病之人。欲行內功。實爲不可能之事。氣散神傷。決難使用。非先去其病。使其神氣完固不可。此治臟之法。即廓清內府。消除疾病之極妙方法。勤謹行之。功效極大。且甚神速。故練習內功之人。宜兼治臟也。

## 練習內功之難關

吾人無論練習何種功夫。必有一二難關。而以內功爲尤甚。難關層叠。欲一一打破之。殊非易事。外功專重實力之練習。難關易過。內功則重于以氣行力。而偏于筋肉之內膜。故難關多而不易打破也。入手之初。練習羅漢拳十八法時。每感身不隨手。手不應身之苦。非失之太猛。即失之地太弛。然此一重難關。但能勤加練習。久後熟習。則自能身手相隨。心手相印。不必盤根錯節。而可以不攻自破。及至進一步而練習五拳之法。則身手之動作。固稱心適意。不至再發生困難。而每易感到力至而氣不至。氣至而神不至。彼此失其連絡。而不能互相呼應。縱外面之形式無誤。在實際上。實完全無一是處。此關已較上述者較難。惟于各拳法所練之主要點。細加揣摩。應貫力者則貫力。應注氣者則注氣。各視其宜而行之。心志專一。久後亦易攻破。至第三步練習前部易筋經時必須氣力並行。無所不至。始達化境。惟在初時。往往只能力到。而氣不到。必須以意役神。以神役氣。使之漸能並行。此關實至不易。非經名師指點。與自己之悉心推闡不爲功。更進一步而練習後部易筋經時。其難更甚。夫氣之一物。運行于內府。而能隨意行至。已屬不易。今乃欲注其氣于筋膜脈絡之間。任意流行。而無所阻核。此非難而又難之事乎。在初時自當先從內府流行入手。待氣地內府。流行活動之後。再進而練習筋膜間之貫注。此項功夫之法則。就大概言之。要不外乎以神役氣。以氣行力八字。然此中之奧妙。非經名師逐步指點。不能詳盡。固非筆墨所能形容。所謂但能意會。不可言宣者是也。凡練習內功之人。如能打破此一重難關之後。則前面皆光明大道。更無毫釐之阻障矣。此外如打坐等事。本與二三兩步功夫相並行者。亦有種種困難之處。每有神思恍惚。意志不寧等等弊病。然此等障礙。極易消除。但在人之抑制雜念。使心中光明澄澈。無思無慮足矣。諺有云。天下無難事。只怕用心人。是可見無論如何之難事。只須用心以求之。必能望其有成也。練習內功之人。亦自如此。其中難關雖多。但能持以恆心。勤行不怠。更尋名師之指撥。則日久之後。此項難關。亦自能逐漸打破。而達登峯造極之境。若畏難而徘徊不進。或立志不堅。則難關打破。永無成功之日。世間之事。大都如此。固不僅練習內功然也。

## 練武功者須守戒愛國

少林門中。對于戒約一事。極爲重視。凡練習武功者。必遵守戒約。如有違犯者。即逐出山門。不認少林弟子。少林之有戒約。自覺遠上人始。共十條。大概皆對于道德及技術而言。深得佛門之旨。世代相沿。直至朱明鼎革。滿人入主中夏。宗室遺老。憤故國之沉淪。欲圖大舉。相率遁入少林。有張一全者。重訂戒約十條。誓共遵守。此項戒約。與覺遠上人所訂者。實爲大異。因彼以獨善其身爲主。此則以致身祖國爲主也。其戒約有「肄業少林技擊術者。必須以恢復中國爲意志。朝夕勤修。無或稍懈」及「每日晨興。必須至明祖前行禮叩禱。而後練習技術。至晚歸寢時亦如之。不得間斷」及「少林技術中之馬步。如演習時以退後三步。再前進三步。名爲踏中宮。示不忘祖國之意。」及「凡少林派之演習拳械時。先宜舉手作禮。惟與他家異者。他家則左掌右拳。拱手齊眉。吾宗則兩手作虎爪式。以手背相靠。平與胸齊。用示反背胡族。心在中國」觀乎以上諸條。則其滅清復明之旨。以顯然可知。故少林派之在清初。已具有種族革命之精神。故上述之數條戒約。皆指國家立言也。至于指練武者個人而言者。則有「凡屬少林宗派。宜至誠親愛。如兄弟手足之互助救助。互相砥礪。違此者即以反教論。」及「如在遊行時。遇有必相較量者。先舉手作上式之禮。倘係同派。必相和好。若係外派。既不如此。則相機而動。量其技術之深淺。以作身軀之防護。非到萬不得已時。不可輕擊其要害。」及「傳授門徒。宜慎重選擇。如確係樸厚忠義之士。始可以技術相傳。惟自己平生得力之專門手法。非相習久而知之深者。不可輕于相授。至吾宗之主旨。更宜擇人而語。切勿忽視。」及「恢復山河之志。爲吾宗第一目的。一息尚存。此志不容稍懈。倘不知此者。是謂少林外家。」及「濟危扶傾。忍辱度世。吾宗既皈依佛門。自當以慈悲爲主。不可有逞强凌弱之舉。」及「尊師重道。敬長愛友。除貪祛妄。戒淫忌狠。有于此而不遵守者。當與衆共伐之。」統觀以上所述各條戒約。于國于己。皆有關切。故少林武術之至于清代。實不僅以明心見性爲主旨。而鍛鍊體魄。學得技術。實有驅胡漠北。掃穴犂庭之意也。凡少林門中子弟。對于十條戒約。概須遵守。若敢不遵。輕則揮諸門外。重則加以撻伐。故傳流至今。不學少林技術則已。如學少林技術。于此守戒一事。猶視爲唯一要務也。

## 練功必求名師

學習武功。與學習文事。頗有不同之處。學文者但能識字。即可于書本中求其奧妙。而達于通曉之境。自己用功。即可登堂入室。固不必定須師傅之耳提面命也。練習武功則不然。縱能得其門徑。及各種動作。惟其精奧之處。則殊難探得。非經名師之指點。實無從領悟也。故武術界對于師傅之尊重。其原因即在于此。拳法外功。已是如此。而內功一法。則爲尤甚。蓋外功拳法。尚爲淺顯之事。雖門外之人。不能自悟。但一經說明。定能恍然。惟內壯功夫。其理極深。且隱晦異常。非但門外之人。不能自探其奧妙之所在。即經師傅指點。如自己之功夫未到者。亦不易了解。故內功對于師傅。更爲重要。且須自入手時起。至成功而止。在此時期之中。不能一日脫離師傅。蓋師傅之指點。亦須由漸而入。逐步做去。亦非能于短期間內。傾筐倒篋以出之者。我國之武術界。向分南北二派。試一究其情形。則北派之盛于南派。自不待言。而推原其故。北方人對于師傅之尊重。實有以致之。北方之人。求得名師。或致之家中。或隨侍其人。必至功程圓滿。始與相離。自始至終。往往歷十餘年之久而以怠。自可盡傳其技。盡得其秘。而造大成矣。且北人往往于技成之後。遊歷四方。作尋師訪友之舉。聞有名師。不遠千里而尋求之。以冀得其眞訣。竟有終身從十餘師者。良以各家各有專長。非如此不能尋得也。南派中則疏于此。且盛行設廠之制。以極短之時間。而敎人以些少應用之手法。敷衍了事。即以言功。亦不過揷沙打鞍等等死手。殊無足取。然以予所見。求師實爲最要之事。如從師不良。則殆誤終身。故求先師必求名師。始能詳細指撥。而收探驪得珠之效。此事實一極難之事。蓋世間名師固不甚多也。老人云。效法乎上。僅得乎中。于茫茫人海中。欲求一術臻上乘。而堪爲我師者。豈易易哉。外功拳脚之術。能者尙多。求之尙易。若內功則精奧深邃。非常人能窺其門徑。而能者極鮮。欲求此項名師。誠難而又難矣。惟因此項精奧深邃之故。更不容不有名師之指點解釋。非然者。但于書本中研求之。雖可得其皮毛。決難得其精髓。且運氣錯誤。實多危害。非若外功拳脚等法。簡便易學。可于書本中求得其實用也。故練習少林內功者。于精勤修養之外。更須注意于師傅之人選。然後始可循序而進。克臻大成也。

## 內功與打坐之關係

打坐一事。無論道家釋家。皆視爲極重要之法則。在道家爲內觀。煉胎息長生之道。在釋家爲禪定。修明心見性之功。雖志趣之不同。實異源而同果。打坐者。實從靜中以求自然之機者也。儒家亦曾云。靜而後能定。定而後能安。此可見靜之一字。其功之妙矣。練習內功之人。本與外功相反。外功皆從動字上做功夫。內功自當于靜字上悟妙旨。此所謂以柔克剛。以靜制動者是也。夫吾人生于今世。事物紛繁。情感雜沓。聲色攻於外。憎愛縈於中。自然之機。漸被蒙蔽。而至於消滅。在此時而欲其摒七情。遠六慾。舉一切貪嗔癡愛之事而絕之。返本還原。使四大皆空。三相並忘。六根清淨。此非難而又難之事乎。若非苦行修持。曷克臻此。打坐者。即忘機之妙法也。故道家釋家皆重視之。而練習內功者。尤當于此入手。內功之主要關鍵。固在于凝神斂氣固精三事。若心如明鏡。一塵不染。一念不生。一念不滅。則神自凝。氣自斂。精自固。若心中雜念紛投。憎愛起滅。則神耗氣散精敗矣。于此而欲收攝。非借力于坐忘。不可得也。且內功者。固以柔制剛之法也。。以安詳之態度而克敵人之暴動。是欲得其安。必先能定。欲得其定。必先能靜。欲得其靜。更非坐忘不爲功。由此觀之。則打坐一法在內功中。所占地位之重要。固不待智者而知之矣。惟吾人處身塵俗。欲其忘懷一切。本非易易。故在入手打坐之初。其意念必不能立刻即達靜止之境。猶不免有紛擾之虞。然必設法以驅除忘念。使心境明澈。達于止境而後可。其法唯何。即自觀而已。昔人謂打坐之人。必具三觀。三觀者。即眼觀鼻。鼻觀口。口觀心是也。在打坐之時。必集吾人之意於此三觀。然後雜念可漸遠矣。予謂不必定念三觀。即默念阿彌陀佛。或數一二三四等。皆無不可。蓋所以要如此之故。欲其意志專一。不生雜念也。非必一定三觀。或三觀於此。具何法力也。此不過初入手時之一種方法。及至心意漸堅。雜念自然遠去。而達于自然之境。功夫既深之後。非但雜念無由而生。即我自己之軀殼。亦置之意外。而至物我俱忘之境。則靜止極矣。功行至此。則利慾不足以動其心。榮辱不足以擾其志。心地明澈。泰然自適矣。故練習內功者。必先從坐忘入手。盡求其靜。復于靜中求動。是爲眞動。强身健魄。行氣如虹。縱不能白日飛昇。亦無殊陸地神仙矣。

# 打坐之法則

打坐一事。以靜爲貴。能闢靜室。設禪床最佳。禪床之形式。略如一極大之方櫈。約二尺半見方。皆以木板製成。務須堅固。如無餘屋爲靜室。即于卧榻上行之。亦無不可。惟以板舖爲佳。以棕籐等墊。皆有彈力。坐時不免歪斜傾側之病。故宜用木板。每日于早晚各坐片時。時不在乎過久。緩緩墊加。易收實效。坐時勿着相。勿管呼吸。一任其自然。脊柱宜正。口宜閉。牙關宜咬。舌宜舐住上顎。兩手輕握。置丹田之下。坐有單盤雙盤之分。單盤者。即以一腿盤于下。而以另一腿盤置其上。法較簡單易行。雙盤者。即依單盤之式。將盤手下面之脚扳起。置于上面膝頭之上。使兩足之心。皆向上面。而兩腿則交叉綰成一結。此則較單盤爲難。手之位置亦有二種。以左大指輕捏中指。而右大指揷入左虎口內。以右大指食指輕捏左無名指根者。稱爲太極圖。而兩掌皆仰。重叠而置者。則爲三昧印。凝神趺坐。先自口中吐出濁氣一口。再自鼻中吸入清氣。以補丹田呼出之氣。呼時稍快。吸時稍慢。呼須呼盡。如此三呼三吸之後。內府之濁氣。完全吐出淨盡。然後再正式行功。在初入手時。必有雜念縈心。而易袪除。則宜念南無阿彌陀佛。或數數目。以自鎭定其神患。久後功夫旣深。則心境自然明澈。不復須如此矣。坐時宜清神寡欲。收斂身心。早起因晚間靜定。是爲靜中之動。晚間行功。因白日勞動而習定靜。是爲動中之靜。如此操持。是爲動靜有常。陰陽相生。佛家坐禪。皆用雙盤之法。全身筋絡。得以緊張。身體容易正直。而收效較宏也。坐時有數要。不可不知。一爲存想。即存欲靜坐之念。而冥心摒息也。二爲盤足。即依坐法。盤足趺坐也。三爲交手。以兩手交疊。護于丹田也。四爲搭橋。即以舌舐顎。使之生津也。五爲垂簾。即下覆其睫。稍留縫隙也。六爲守丹田。即意存于丹田。而不即不離也。七爲調息。即調和其氣息。使之綿綿不絕也。知此七要。而打坐之法盡矣。此外坐法猶有所謂五心朝天者。實係道門中之坐法。而觀音坐。金剛坐等法。則爲禪門中之別法。隨人之性情而變。吾愛何種坐法。即坐何式。固不爲拘拘于定見也。惟終以雙盤坐法爲正宗。坐之時間。以一炊時起手。以後逐漸增加。直至半個時辰以上爲止。能坐至如此長久。則心境澄澈。一切雜念。無由而生。一切邪魔。無由而入。則明心見性。可歸正覺矣。

## 少林內功之五拳

少林內功。約可分爲三步練法。在入手之初。宜先練五拳。所謂五拳者。即龍虎豹蛇鶴五法也。自梁代達摩禪師傳先天羅漢拳十八手以後。直至金元時白玉峯披薙入山。整理少林技術。加以研究。由十八手而增至二百二十八手。于此一百二十八手法中。更分爲龍虎豹蛇鶴五拳。白氏之意。謂人之一身。精力氣骨神。皆須加以煅煉。使互相爲用。始克臻上乘。蓋精不練不固。力不練不强。氣不練不聚。骨不練不堅。神不練不凝也。五拳者。即可以練精力氣神骨神之法也。故創此五式。使內外並修。而達于化境也。龍拳練神。練習之時。毋須使用外力。惟須暗中役氣。使注丹田。而周身活潑。兩臂則沉靜不動使手心足心與方寸相印。此所謂五心相印者是也。如此練去。功成之時。竟如神龍行空。靈活自在矣。虎拳練骨。骨之在于軀幹。所占之位置極重。骨若不堅。則氣力自無所施。故必用虎拳以練之。練時須運足全身之氣。使腰背堅實。臂腿牢壯。腋力充沛。起落有勢。怒目强項。兩手作虎爪之狀。有如猛虎出山之勢。豹拳練力。豹之爲物。其身體之雄偉。與形狀之威武。皆不及虎。而力則過之。且腰臂堅强于虎。故善于跳躍。以之練力。最爲合宜。練習豹式。務宜兩手緊握。五指如鐵爪鋼鈎。全身宜用短馬爲起落。而鼓其力于全身。此等法則又名爲白豹拳。以形似也。蛇拳練氣。蛇之爲物。遊行夭矯。節節靈涌。人身之氣。亦貴于吞吐抑揚。以沉靜柔實爲主。其未着物也。若甚無力。及其着物。則氣之收斂。勝于勇夫。練蛇拳者。正所以使其氣有如長蛇之遊行。而節節靈通也。練此拳時。宜柔身而出。臂活腰靈。兩指相駢。起落出推按之。以擬蛇口之舌。且屈折迴環。有行乎不得不行。止乎不得不止之意。練剛爲柔。所謂行氣如虹者。即此是矣。鶴拳練精。鶴之爲物。雖屬羽禽。顧其精足神完。而克享大年。人身最重要之物。亦厥惟精神。故宜用鶴拳以練其精。練此拳時。宜緩急得中。凝精鑄神。舒臂運氣。所謂神氣相合。心手相印者是也。上述五拳。如能練至精純之境。則精固力强氣聚骨堅神凝。五者相合。互相融化。爲用之妙。不可盡言。倘以制人。則一舉手一投足之間。縱頑强之敵亦可折服。且出之輕描談寫。而並不須窮形盡相也。其中妙旨。可以心不可言傳。全在學者下功苦練。用心推闡也。

## 五拳之練習法

五拳爲龍虎豹蛇鶴五形。前已詳論之矣。惟其練習之法。猶未述及。今且分節言之。每一種拳法形狀。內中又分爲數小節。如虎拳中則有黑虎試爪。及黑虎坐洞等各種形式。而鶴拳則有白鶴亮翅。野鶴尋食等式。固不僅五種成法也。玆將各法分述于後。以便學習也。

# 虎拳

## 一、黑虎試爪

兩足分開。屈兩膝而沉上身。踏成馬步。右手置腰際。掌心向下。用力下按。左手則向右方推出。上身亦隨之向右旋轉。至右斜前方爲度。頭與身之方向同。突目前視。式如上圖。略停片時。更依前法向左行之。圖不附。

## 二、虎掌爬風

兩足分開。如上式作馬步。左手作虎爪狀。自右下提起。手掌向外。運指力向左拉引。同時右手從右側平臂擧起。反掌向上。至齊肩時則折肱向內。指作虎爪形如抓物帶回之狀。身向正前方。頭偏于右。目突視右手。式如上圖。略停片時。更如法向左行之。



虎拳

(第一圖)黑虎試爪

虎拳

(第二圖)虎掌爬風

(第三圖)餓虎尋羊

三、餓虎尋羊

左足向右方踏進一步。同時全身轉向右方。兩臂從旁豎起。掌心向前。至平肩時。則向前緩緩壓下。作虎爪攫物狀。落至齊腰。則屈肘運指力向後拉引。同時上身即向前探出。手拉至脅間爲度。式如上圖。如此三探三退而止。

(第四圖)黑虎坐洞

四、黑虎坐洞

先兩足分開作馬步。左手由前下方拗起。作抓物上提之狀。至頭上而止。右手則從左腰處提起。向右方拉開。作撕物之狀。至右乳前爲度。臀部下挫。上身略後仰。頭偏右方。式如上圖。略停更如法向左行一次。

虎拳

（第五圖）猛虎伸腰

虎拳

（第六圖）白虎推山

五、猛虎伸腰

先分開兩足作馬步。兩手同時向右肩上一揚。左手即從額前抄過。向左拉開。至左肩外而止。右手即從旁側拉回。至胸前爲度。在兩手拉回之時。右足挺直。上身向左移挫。頭偏右。目上覷。式如上圖。略停更如法向左行一次。

六、白虎推山

先將左足踏右一步成弓箭式。兩手從前提起至肩前。同時向前探出。再將兩手用力緩緩向前推去。上身乘勢挺直。臂直爲度。全身向右。目覷指尖。式如上圖。如此三推三退而止。

豹拳

（第一圖）金豹定身

豹拳

（第二圖）地盆撕折

# 豹拳

## 一、金豹定身

兩足並立。向右旋轉。全身旋至右斜方爲度。兩手握拳。務須極緊。在旋身之時。運力緩緩屈肘提起。至齊腰而止。掌心向下。拳口貼腰。頭則微昂。目向上視。式如上圖。略停同復原位之後。更如法向左方行一次。

## 二、地盆撕折

先將兩手交叉于腹前。左外右內。成斜十字形。兩脚分開踏成馬步。兩臂即于此時向前翻起至胸下臍上處。掌心已向前面。即將兩手用力向旁分開。有如抓住一物。欲加以撕裂之狀。左手在臍前。右手在胸前。身向正前方。式如上圖。略停將兩手更換。反行一次。

豹拳

（第三圖）豹子穿崖

豹拳

（第四圖）豹子弄球

三、豹子穿崖

先將右足向右踏出一步。上身亦隨向右方。成爲右面之右弓左箭步。同時右手握拳。從下提起護腰。掌心向上。拳口向外。而左手亦緊緊握拳。折腕使掌心向前。然後屈肘將拳向上超起。至平肩爲度。上身略向前傾。目突視左拳。此時左拳之掌心已向內矣。式如上圖。略停回復原位之後更如法向左方行一次。

四、豹子弄球

先將右脚向右踏出一步。全身亦向右旋。足成右弓左箭步。同時左手楂開五指。伸至前面。反掌向外。伸直後即用力向內拉回。手亦握拳。至左脅旁爲度。同時將右手楂開五指。伸至側面。掌心向後。緩緩攏指壓下。至腰外時。即握拳向前上拗起。如握住一物。向前折舉之狀。目視右拳。式如上圖。畧停復原位後。更如法向左行一次。

（第五圖）金豹朝天

五、金豹朝天

先將右脚向右踏出一步。上身隨之旋轉。踏成右弓左箭步。兩臂同時向後張開。兩手則掌心向外。力向後撞去。至極度時。再握拳折腕。使掌心向內。用力向上冲起。拳眩相接。拳平于頂。頭畧昂。目視雙拳。式如上圖。畧停復原位後。更如法向左方行一次。

（第六圖）金豹直拳

六、金豹直拳

先將右脚踏右一步。成爲右弓左箭步。全身皆向正右方。在旋身之際。兩手握拳。兩臂從旁舉起。平肩爲度。掌心向前。虎口向上。至此乃將右拳向內撤入。至直舉前方爲度。而左拳亦折肘向右肩處撤入。至肩尖爲度。式如上圖。畧停復原位後。更如法向左行一次。

龍拳

（第一圖）雙龍掉尾

龍拳

（第二圖）金龍獻爪

# 龍拳



## 一、雙龍掉尾

先將兩脚分開。上身下坐。使成騎馬式。在上身下沉之際。兩手在下合掌。向上折肘舉起。置于當胸。作和南之狀。然後分開手掌。緩緩向兩旁推出。至兩臂平直爲度。此法力須停于掌根而貫于指端。身向正前。頭畧偏右。式如上圖。畧停將手落下。更續行一次。動作同。惟頭部向左耳。

## 二、金龍獻爪

先將兩足分開。如上式成騎馬步。兩臂即從左右屈肘舉起。使肱臂與頭。成一山字形。手掌向前。畧一停頓之後。即用力屈指。作龍爪狀。同時將肱向前壓下。手至肩前時。再畧一停頓。即將兩大臂擀緊。而將兩手及肱。向後反張。至兩肩尖外爲度。身首各部。皆向正前。式如上圖。如此三舉三落而止。

（第三圖）白龍回首

龍拳

（第四圖）龍氣橫江

三、白龍回首

先將右足向右踏進一步。成右弓左箭步。身亦隨之旋轉。右手直伸于後。左手則向後斜下方作拾物狀。畧一停頓。左手向上斜揚起。而右手即作抓物狀折肘收回。同時挺直右足。屈下左足。上身亦向左斜傾。頭偏右方。兩目上視。式如上圖。畧停回原位後。更如法向左行一次。

四、龍氣橫江

先將右脚向右方平開一步。兩手交叉于腹前。左外右向。乃徐徐將身向右方旋轉。變成右弓左箭步。同時將左手反掌向後分出。而右手則翻掌向上。從下超起。以指尖齊眉為度。上身向正右。畧畧後仰。目視右手指尖。式如上圖。畧停回復原位後。更如法向左方行一次。

龍拳

(第五圖)盤龍探爪

龍拳

(第六圖)遊龍退步

### 五、盤龍探爪

先將右足向右踏出一步。身隨之俱轉。使成右弓左箭步。乘勢將左手提置腰間。掌心向前。指皆灣轉。而右手則提至乳際。向前推出。臂直爲度。畧一停頓。則右手拉回置腰間。同時左手向前推出。然後將身旋至正左方。依法行一次而止。上圖所列。乃右第一勢之情形。

### 六、遊龍退步

先將兩足分開。作騎馬式。左手平舉于側。掌心向前。右手置于左腰之前。掌心向內。上身畧傾于左。然後將左手屈指向斜下方攔回至右腰前爲度。掌心向內。而右手則同時向斜上方揚起。掌心向前。左腿乘勢挺直。上身則傾向右方。上圖。乃係向左之定勢。

（第一圖）八卦蛇形

蛇拳

（第二圖）白蛇吐信

# 蛇拳

## 一、八卦蛇形

先將兩足分開。上身下坐。作騎馬式。身略偏右。左手屈肱。置于臍下。右手屈肱。置于臍上。然後將上身徐徐向左旋轉。在下之左手。由下從前面折腕翻起。至當胸爲度。掌心向外。右手則由內向下按去。至腹前爲度。掌心向下。上身偏左斜。式如上圖。略停更如法反行一次。身旋向右。

## 二、白蛇吐信

先將兩足分開。踏成騎馬式。左手屈肱提起。置左膝上。屈無名指與小指。而右手則抄至左方。上提向右方分去。亦屈二指。同時上身向左下坐至極度。然後再將身移向右方。右手屈肱置膝上。而原屈之左手。則向左方分去。身偏于右。頭略下俯。而雙目則視左指尖。上圖所示。乃向左之定勢也。

蛇拳

（第三圖）毒蛇横路

蛇拳

（第四圖）兩蛇分路

### 三、毒蛇横路

先將兩足分開。踏成騎馬式。左手伸直中食二指。向右方探去。右手亦屈肱豎起。放于肩外。上身右傾。然後將左手由前面向左平分。至肩外則屈肘縮回。而右手則同時向左推過。放于左手之前。臂直爲度。上身亦移向左方。頭偏于右。式如上圖。略停更如法向左亦行一次。

### 四、兩蛇分路

先將兩足分開。左手提置于右腰之前。右手則直伸中食二指。屈肱提起。掌心向內。指尖與鼻尖相對。然後將身向右方旋轉。足踏右弓左箭步。左手則用力緩緩向後推出。右手則折腕向前指出。全身向右。目視指尖。式如上圖。略停旋身向左。如法亦行一次。

（第五圖）白蛇盤鼠

五、白蛇盤鼠

先將兩足分開。兩手名直中食二指。屈肱提置胸前。上身向右旋轉。兩足踏右弓左箭步。左手則從前面抄向右方指出。掌心向前。指尖向右。上身旋至右後爲度。然後將左手收回置腰前。右手從前面抄過指出。身隨之旋至右前方爲度。式如上圖。略停更旋身向左如法亦行一次。



（第六圖）毒蛇守洞

六、毒蛇守洞

先將兩脚分開。踏成騎馬式。將上身略向右旋。兩手同時向右斜上方推去。身亦前探。然後左手從原處落下。置于左膝前。而右手則在前面向斜下方徐徐壓下。至左手上面爲止。上身亦向左移旋。坐至極度。頭偏右上式如上圖。略停更如法反行一次。

# 鶴拳

## 一、白鶴亮翅

先將左足由原方向踏前半步。與右足前後參差。同時將兩手屈肱捞起。放于兩肩之外。指尖向上。掌心向外。然後將脚尖略略點起兩手即同時向左右搧下。至臂直爲度。而兩手掌之方向。則完全不變。身首皆向前面。式如上圖。略停。手足復位。更以右足踏前。如法行之。

## 二、野鶴尋食

先將左足向右踏出一步。上身隨之旋轉。至正右方踏成左弓右箭步。兩手伸直大中食三指。而屈其餘二指屈肱提起。先將左手向下作抓物狀。然後右脚踏進一步。收回左手。改用右手向下作抓物狀。上身前傾。目視地上。式如上圖。略停復位。更如法向左方行一次。

鶴拳

（第一圖）白鶴亮翅

鶴拳

（第二圖）野鶴尋食

鶴拳

（第三圖）雄鶴剛翎

三、雄鶴印翎

先將兩足分開。兩手則各伸直其大中食三指。而屈其餘二指。屈肱提起。平置于肩尖之前。掌心向下。乃向左旋身。左手順勢向後面刷去。而右手下按至左乳之前。全身向左後。略一停頓之後。即向右旋身。右手依法刷出。而左手則收回置于右乳之前。全身移向左前。頭偏于右。目視右指尖。式如上圖。

鶴拳

（第四圖）長臬獨立

四、長臬獨立

先將兩手各屈小指及無名指。而直伸大中食三指。向前擧起。至與肩平時。則向左右兩旁分開。至成一字形為度。掌心向下。在兩手動作之際。右脚即向上提起。膝抵于腹。然後再將兩手折肱。由斜下方抄起。提至肩前。式如上圖。略停復位。更提左脚如法行之。

鶴拳

（第五圖）鶴爪印沙

鶴拳

（第六圖）冰鶴守梅

五、鶴爪印沙

先將全身旋向右方。右足向前踏進一步。惟用脚趾點地。並不踏實。左手則從下面用力折肱。向上拗起。至迎面爲度。掌心向前。右手則從旁側屈肱提至肩外。然後向前推壓而下。至手平乳爲度。掌心向下。肘略屈。頭後仰。式如上圖。略停復位。更如法向左行一次。

六、冰鶴守梅

先將身體向右旋轉。兩手各屈其小指及無名指。而直伸其大中食三指。依長臯獨立之法。兩臂從旁平舉。至成一字形爲度。右足同時向上提起。膝蓋及乳。然後將兩手從旁攔入。抱取膝頭。右手在外。左手在內。式如上圖。略停復位。更旋向左方。提左足如法行之。

# 少林內功與易筋經

少林門中之內功。以易筋洗髓二經爲最精純。洗髓一經。即本仙家伐毛洗髓之意。其高深奧妙。超乎一切武功。不易領悟。且其原本。早已失傳。世間即有此書。要皆後人搜集道藏。附會而成。牽蘿補屋。固不見其能收若何效果也。惟易筋一經。少林門中。猶多傳法。並未泯滅。惟與世間刊本。頗有出入。今人之言易筋經者。每分爲外功易筋經。內功易筋經。是亦牽强之說也。吾人試考其命名之義。即可知易筋之止有一經。有不容强加分析之處也。易者換也。筋者筋脈也。易筋云者。蓋言去其原來羸弱無用之筋。而易以堅强有用之筋也。亦即言練習此功之後。可以變易其筋骨。而使堅强有用也。由此觀之。則功既同名易筋。而易筋之功夫。又屬于少林之內功門中。又烏得而强分之耶。此實世人不細味其命名之義。而妄加分析也。就予所知。易筋一經。實傳自震旦初祖達摩禪師。全部共二十四段。分爲前後二部。其前部較易練習。爲入門之秘訣。其後部較爲精奧。爲成功之途徑。今人不察。皆以前部爲外功易筋經。而以後部爲內功易筋經實大誤也。且有云外功易筋經爲十二段。即今日通行之法。內功易筋經共二十四段。今已失傳。殊不知前後共止二十四段也。此步功夫練成之後。即入內功之中乘。能運柔成剛。以禦外侮。所謂易筋者。非眞能將人體之經絡取出。而換以堅强之筋。猶言練此功夫。日久之後。即可使筋骨堅强。勝于未練之時。如脫胎換骨。

易筋云者。比喻之辭也。洗髓之經。予不得而見。易筋經則非但所見之本甚多。且曾專學習。同邑蔣覲園先生。曾得眞傳于少林老僧。且藏有眞本。其文孫小溪。曾假予抄錄。且爲予言其精奥之處。予以多病之身。練習一年之後雖未能變懦夫爲壯漢。而病魔遠避。身體康寧。而所練者。猶僅其前段。于此可證此項功夫。實具有絕大功效也。聞小溪言。覲園先生。能運氣于全身。嘗命人以利刀刺之不能傷。惟力避耳目又兩頰耳。其功夫皆從易筋經中練來。此又可證易筋經之可以禦鎗刀。並非虛語也。蔣之本。與坊間之刊本。互有異同。兹即以此本刊行。以正謬誤。且述小溪之語。使世之學武者。知易筋經之但分前後二部。以便練習者得以漸進。皆屬于少林內功門中。實無所謂外功內功之分也。否則强分派別。徒貽識于識者耳。

## 易筋經前部練習法

此部易筋經所列各法。即俗傳之外功易經是也。共十有二段。每段動作不同。而各有其妙事。宜于淸晨薄暮之時。在空曠淸潔之地。依法練習。待十二段行畢後。再從第一段複練。周而復始。晨夕各三次。一年之後。則精神萎頓者。立可振作。而精神健旺者。則實力增加。神完氣足。洵有易筋換骨之妙。但須排日行之。切不可稍有間斷。若荒怠不勤。決不能剋期收效也。

△第一段

面向東方而立。兩足分開。中間相距約一尺開濶。足之位置。須趾與踋同一方向。切忌踏成八字形。凝神調息。摒除一切雜念。鼓氣于腹。毋使走洩。頭部向上微昂。口宜緊閉牙齒相接。舌尖舐住牙關。兩目向前覷視。睛珠須定。不可稍有啓閉。然後將兩手折腕昂起。使掌心向下。指尖向前。再緩緩踏屈其肘節。將手提起少許。至腰部稍下處爲度。惟兩手雖上提。而兩臂之氣力。必須下注。如按桌踴身之狀。略加停頓之後。乃將十指運力向上翹起。而掌根則運力捺下。行時須極徐緩。至極度後。再停頓片刻。乃放下手指。提起掌根。回復原狀。如此一翹一按。是爲一度。徐行四十九度。而第一段功夫完畢。須默記其按此段名混元一氣之勢。先天之象也。一翹一捺。得乎動機。停頓貫氣。得乎靜定。動靜相因。而陰陽判。萬物生矣。故以下各段。皆由此式而化生者也。行時宜全神貫注于指掌之間。不可相離。日久之後。則氣隨神到。而運于內。力由氣生而行于外。內外相合。而超乎一切矣。若神氣渙散力不專注。是爲大忌。在兩手上提之時。切不能過至腰上。否則非但不得其益。且有損于筋骨。愼之愼之。

(第一圖)

△第二段

行前段功夫旣畢之後。則將氣力收起。復平常小立狀態。使全身筋骨稍爲舒展。以免過勞之弊。其休息之時間。則不必限定。行第二段時。先將兩足緊並。全身正立鼓氣閉口。突視昂首。與第一段完全相同。兩手則將指屈轉握拳。惟大指伸直。此時握拳極鬆。不可用力。握定之後。則將拳移置于大腿之前面。掌心與腿面相貼。兩大指則遙遙相對。至此略略停頓之後。即將每手之大指。向上翹起。以至極度。同時兩手之其餘四指。則用力緊握務用全力。而兩臂之力。則須下注。切不可有絲毫提勁。略停片刻之後。兩大指即徐徐放下。餘指亦慢慢鬆開。以復原狀。兩臂則宜用提勁。使氣力上收。如此一緊一鬆爲一度。行時宜凝神注氣。專心一志。行四十九度。第二段功夫畢矣。式如第二圖。

(第二圖)

按此一段。坊本有將兩拳貼置于大腿之旁側。而大指向前者。殊不得勢。不得勢則力不充。力不充則氣不行。精神亦因之而渙散。以之求功。尙可得乎。實謬誤之甚也。至于翹指之時。不能稍雜提勁者。則以氣力下注。貫于拳指之間。俾拳能愈握愈緊。指能愈翹愈高也。行此段功夫。亦宜出之徐緩。緊時則氣力下注。鬆時則氣力上提。一注一提。所以行氣使力也。在表面觀之。似乎功夫僅及于指臂。實則徧及于全身。蓋以人身肢體。無不通連。而氣之源流。又從內府行流而至。無所不及也。在行功之時。最忌口鼻呼吸。身體動搖。因皆足以耗氣散力也。

（第三圖）

△第三段

行第二段功夫既畢之後。略事休息。再續行第三段。此段正立如前。先將兩足分開。中間距離約一尺左右。務須趾與跗成平線。忌作八字形。腿部宜運力下注。不可使稍有鬆浮。否則身體易于搖動。而致神氣渙散矣。頭昂目睜。口閉牙接。鼓氣腹中。與上二段同。兩手則將大指先曲置掌心。餘四指則緊握大指之外面。兩臂垂直。雙拳置大腿之兩側。掌心貼腿。拳背向外。在上手之時。臂部並不用力。拳亦握得極鬆。略略停頓之後。即將兩拳緩緩握緊。至極度為止。同時運力于臂。使之下注。即用力將兩臂挺直。使肘節突出。而氣力易達于指掌之間也。略停片刻後。更徐徐矣住臂力。放鬆拳指。而回復原狀。如此一緊一鬆為一度。共行四十九度。而第三段功夫畢收。式如第三圖。

按此段主力之點。在于拳臂。行氣之法。一提一注。固與上段無所區別。但其間不同之處。亦不止一端。彼則並足而此則分開。彼則伸直大指而此則屈握大指。要皆各有用意者。夫兩足分開。所以使下盤牢固。不易搖動也。握拇指于掌中。所以實拳心而易于着力也。臂向下挺。而突其肘節。所以使全臂之氣力。下注于拳也。而各段之動作相異無幾。在功效上則差甚大也。行功之際。除動作之外。尤須注意于神氣之貫注。務使精神氣力。融會一起。達則全達。斂則全斂。若精神氣力之不相融。雖練百年。亦是無益。學者宜加意焉。

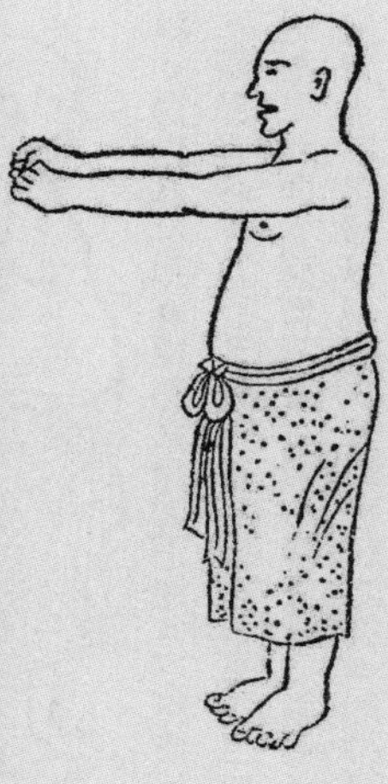

（第四圖）

△第四段

行第三段功夫既畢之後。體息片刻。以舒展筋骨。然後再續行第四段。此段與以上各段不同。先全身正立兩足緊並。用足兩腿之氣力下注。以固下盤。然後將兩大拇指。屈置掌中。而以餘指屈置其外。握之成拳。兩拳由前面向上舉起。以平肩爲度。掌心相對。虎口向上。兩拳間之距離。則與肩膀之濶度相等。在上舉之時。兩臂宜直。上身切忌動搖。略略停頓。即運力將拳緊緊握攏。以至極度。而兩臂同時向前伸去。位置雖不能伸前若干。但氣力則完全前注。停頓片刻。則將拳放鬆。而收回兩臂之伸勁。在伸出時。切忌左右宕動。如此一握一鬆爲一度。共行四十九度。第四段功夫既畢矣。式如第四圖。

按此一段乃氣注平行之法。使氣力進則注之于拳臂。退則流行于肩背。蓋握拳伸臂。兩肩必向前探出。背部之筋肉。勢必緊張。此時氣力完全前透。待鬆手收力。全部筋肉。完全鬆弛。氣力亦因而退行。流注于肩背各部矣。此段最忌者。即爲用力時兩拳向左右宕動。因兩拳宕動。則全身之氣力。不能專注於前。而旁行散亂。勢散神亂。行之非但不足以獲益。反足以招害也。是宜特加注意。

(第五圖)

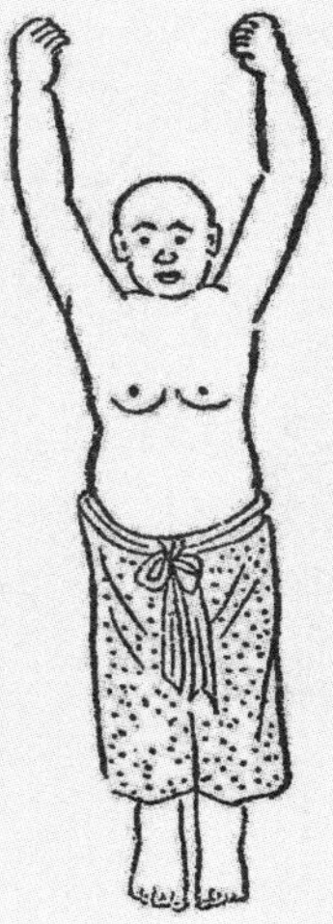

△第五段

行第四段功夫畢。略事休息。更續行此第五段。全身正立。兩足緊並。昂首緊目。閉口咬齒。凝神鼓氣。如第一段之形狀。將兩手握拳甚鬆。翻掌向外。徐徐從兩旁舉起。竪于頭之上面。掌心相向。虎口向後。肘節微灣。兩臂須離開耳際一寸處。切不可緊貼。在兩臂上擧時。兩足即隨之殿起。兩踵離地一寸左右爲度。略略停頓片刻。乃將兩拳緊緊一握。兩臂則蓄力向下挫。似拉住鐵槓。將身上收之狀。同時兩踵再乘勢向上擧起。至極度而止。停頓片刻之後。再將兩拳徐徐放鬆。收回氣力。兩踵亦緩緩放下。仍至離地一寸左右爲度。如此一起一落爲一度。共行四十九度。而第五段功夫畢矣。式如第五圖。

按此一段功夫。乃將氣力流注全身之法。蓋擧踵殿趾。則腿胯等處。必氣力貫注而後堅實。

若氣力不注。則腿胯虛浮。腿胯虛浮。勢必全身動搖。不能直立。難于行功矣。至于兩臂上擧者。欲使其肩背胸脅腰腹等部之筋肉。處處緊張。以便氣力易于流注進退也。此段中之最須注意者。即在緊握雙拳之際。下挫其臂。所謂下挫者。乃運其兩臂之全力。向下挫去。並非眞將兩臂作有形之動作也。此實爲運意而役使氣力之法。是當特加注意者。兩踵之起落。務宜徐緩。切忌猛疾。因起落猛疾。兩踵易受震激。足以影響及于頭腦與心房。爲害甚烈。是宜切記。

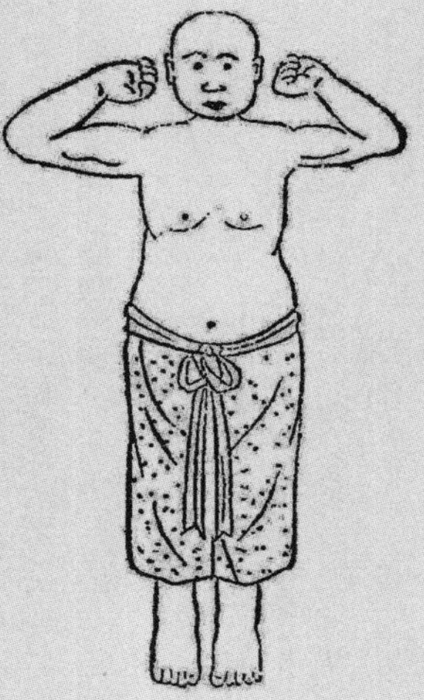

（第六圖）

△第六段

行第五段功夫既畢。略事休息然後再續行第六段。全身正立。昂首睜目。閉口鼓氣如前。先將兩足分開。相距約一尺左右。趾踵須成平行線。切不可踏成八字式。因八字式力不專注。且易動搖也。兩手則將大拇指放在外面。以餘四指握拳。再將拇指放于指節之外。握時亦須鬆弛。不可過緊。然後將兩臂從旁側擧起。拳心向上。至臂平直時。更屈轉肘節。引肱豎起。至拳面適對兩耳。全臂成三角形。

拳以離耳一寸許爲度。掌心則向肩尖。略略停頓後。即將拳徐徐握緊。以至極度。小臂則用力向內折。大臂則用力向上抬。此皆係力行。不以形式行也。略事停頓後。即徐徐放開。以復原狀。如此一鬆一緊爲一度。自始至終。共行四十九度。而第六段功夫畢矣。式如第六圖。

按此段功夫。乃運使氣力。進而流注于臂肘指節之間。退則流注于肩背胸廊之部。小臂內折。則筋肉緊張。氣力易于前達。大臂上抬。則胸廊開展。肩背緊張。而氣力易于流行。內府諸官。亦必因而舒伸。處處着力。毫不鬆懈。惟行此之時。上身切忌動搖。兩臂切忌擺蕩。欲免除此弊。在乎用力之時。徐緩從事。若舉動猛疾。則必難免也。

(第七圖)

△第七段

行第六段功夫之後。休息片時。再續行此第七段。兩足緊並。全身直立。昂首突視。鼓氣閉口如上。兩手則各將四指握在裏面。而大指則扣手指節之外。拳握甚鬆。由正前面向上提起。提至肩前。成平三角形時。略停片時。即運力于肱。徐徐向左右分去。至平肩成一字形為度。心掌向上。上身則略向後仰。惟不能過度。在兩臂分開之後。即將兩足尖徐徐抬起。離地約一寸許。專用兩足跟着地。同時將拳徐徐握緊。從鼻中吸入清氣一口。吸盡一口。再將足尖輕輕放下。兩拳緩緩放開。同時從口吐出濁氣一口。以復原狀。如此共行四十九度而功畢。式如第七圖

按此段乃運使氣力旁行之法。而兼調內府者也。伸臂握拳。所以增加氣力。一呼吸所以調內臟。即吐濁納清之意也。故行時上身必須後仰。始足以使胸廓開展。而可以盡量呼吸也。至于足尖上抬之故亦無非欲使下盤固實而不虛浮。蓋足跟點地。氣力若不貫注。非但動搖。且

立見傾跌。學者于此。宜三注意焉。

△第八段

行第七段後。休息片時。再續行此第八段。此段與第四段之法。大同小異。並足正立。昂首突視。屏息鼓氣如前。將兩拇指先曲轉。置于掌心。更以其餘四指握其外拳握甚鬆。再將拳由前面向上舉起。以平肩爲度。虎口向上。掌心相對。惟兩拳間之距離。並不限肩之濶度。相去檢涵。約距二三寸。在兩拳上舉之時。兩踵亦徐徐提起。離地約二寸許。專用足尖點地。然後將兩拳用力徐徐握緊。以至極度。略事停頓後。再將拳徐徐放鬆。兩踵亦輕輕落下。着地時務須極輕。如此一緊一鬆爲一度。前後共行四十九度而功畢。式如第八圖。按此段練空中懸動。使氣力流注于上下各部。與第四段相異之處。在于兩拳距離之遠近。及拳踵與不舉踵二事。在握緊雙拳之後。更宜將臂向外分去。以至與肩膀之濶度相等。至放鬆時。則更徐徐合攏。行此段最難之點。則在于上身之向前後俯仰。而使下盤不能固實。故此一段功夫。實較第四段爲難也

（第八圖）

第九圖

△第九段

行第八段功夫既畢。休息片刻。再續行第九段。全身直立。頭正目前視。上身須直。閉口鼓氣加前。兩足緊並。將兩大指屈置掌心。而以餘四指握其外。拳握甚鬆。然後將兩拳從下面提起。務須在正方前上提。提至腹前。則屈其兩肱。向上翻起。至當面爲度。掌心向外。兩拳面則斜向鼻尖之兩旁。肘臂屈成三角形。兩拳相距約三寸許。然後更將拳徐徐握緊。以至極度。同時將小臂用力向內翻轉。大臂則用力向前逼出。肘節則向後面分引。各部同時運用氣力。略事停頓之後。再徐徐放鬆雙拳。收回各部氣力。以復于原來情狀。如此一緊一鬆爲一度。自始至終。共行四十九度而功畢。式如第九圖。

按此段在翻肱向上時。宜似握千鈞重物向上翻提之狀。雖手中並未有物。心中當作如是想也。此段坊本錯誤者甚多。且有與第六段混爲一談者。貽誤世人。不知幾許。故特加改正。并指其謬。以告學者。其與第八段不同之處。但須兩下參看。不難領悟也。

△第十段

行畢第九段功夫之後。休息片刻。再續行此段。正立如前。兩足緊並。昂首挺胸。睜目突視。閉口屏息。鼓氣于中。將兩拇指屈置掌心。而以其餘四指握之成拳。並不甚緊。虎口貼腿。掌心向後。乃將兩臂從前面舉起。至平肩之時。乃運肘力向左右兩旁分去。與肩尖相平。同時兩肱亦向上豎起。舉直為度。此時兩臂與頭。適成一山字形。掌心向前。虎口向兩耳。略事停頓之後。徐徐將拳緊握。以至極度。同時兩臂用力向上托。如手托千斤之勢。兩肘節則向外逼出。如欲使之湊合者。但皆用虛力。而並非有形之動作也。如此停頓片刻。即徐徐鬆手。如此一緊一鬆為一度。共行四十九而功畢。式如第十圖。

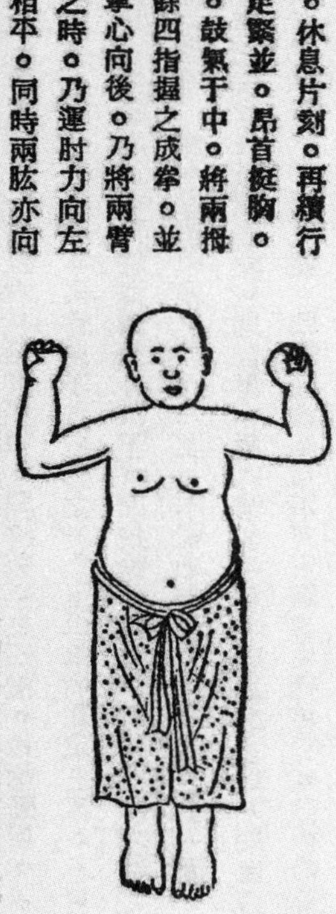
(第十圖)

按此段乃練氣力之上行。除握拳之外。其餘皆非有形之動作。亦運意使力之法也。拳家所謂意到神到而力隨之者是也。坊間俗本。不知此中奧旨。竟皆演有形之動作。則勢亂神散。而欲收效。其可得乎。荒謬之處。學者宜審思而明辨之。庶不至自誤也。

△第十一段

行第十段功夫既畢。休息片刻。再續行第十一段。全身正立。兩足緊並。昂首突視。閉口鼓氣如前。兩手則各先將四指屈置掌心。而以拇指護其外。握成極鬆之拳。乃運用臂肘之力。將拳向上提起。置于小腹之前恰當臍輪之兩側。肘微屈。虎口斜對。拳面向下。心掌向內。拳距腹約一寸左右。略事停頓。即將每手之四指。徐徐緊握。以至極度。而兩拇指則用力上翹。愈高愈妙。兩臂雖不作有形之動作。但氣力却須上提。不可下注。似提千鈞重物之狀。停頓片刻。再將拇指徐徐放下。四指徐徐放鬆。而將兩臂之氣力。緩緩下注。如此一緊一鬆爲一度。自始至終。共行九度。本段功夫畢矣。式如第十一圖。

（第十一圖）

按此段功夫。乃運氣升降之法。在緊握之時。則自鼻中吸入清氣一口。在放鬆之時。則自口中吐出濁氣一口。惟須行之徐緩。吸須吸盡。吐須吐盡。切不可失調或中途停頓。致內部受到意外之震激。運力上提。本爲無形之動作。兩肩切不可向上聳起。是爲至要。

△第十二段

（第十二圖）

行第十一段功夫既畢。休息片刻。再續行第十二段。全身正立。兩足緊並。昂首突視。閉口鼓氣如前。兩臂直垂。指尖向下。掌心向前。乃將臂徐徐從前面擧起。平肩爲度。大指在外。掌心向天。兩手中間之距離。與肩膀之濶度相等。在兩手上擧之際。兩踵亦同時提起。以離地二寸許爲度。略略停頓之後。兩手徐徐放下。兩踵亦輕輕落地。如此起落各行十二度。再擧掌如前。手掌向上一抬。肘即向下一扎。同時兩踵提起。再輕輕收回。恢復原狀。踵落地之後。即將足趾向上翹起。離地以一寸爲度。如此亦連續行十二度而全功畢矣。

按此段乃舒展全身筋絡血脈之法。蓋以上十一段功夫。各有功效。行時氣力不免偏注。故必須用此一段以調和之。而使氣力偏注于全體各部。無太過不及之病。是亦猶打拳者于一跗既畢之後。必散步片刻。然後休息也。綜上述十二段功夫。每日勤習。則三年之後。必可有成。而氣力相隨。無往而不可矣。

# 易筋經後部練習法

前部易筋經十二段。雖亦注重于氣力相隨。惟猶以力爲主。剛多柔少即以力行氣之法也。練習成功之後。雖可以氣力相隨。但欲其偏及全身。流行于內膜而無所阻核。尚難如願以償。欲達到此種程度。必須前部易筋經練成之後。再接續此後部。但亦不能入手即練後部。因此步功夫。完全注重于運行氣力于內膜。以充實其全身之筋肉。而不在于增加實力。然實力不足之人。欲其氣力運行。固不易言。即算能練成。其效亦至徵弱。所以須先練前部者蓋亦增加實力。使與氣相隨。然後更進而練習後部。于純柔之中求運行之道。自易于入手。且收效亦較爲神速也。故單練前部。不練後部則可。單練後部則不可也。因單練前部。氣力縱未能運行于內膜。然較未練時必增加數倍。而收身强力壯之效。即不再進步而求其能于運行內膜。亦足以却病延年矣。若後部則專講運行之道。單單練此。毫無用處。所謂徒勞無功者是矣。凡練少林內功者。對于此事。不可不知。茲且將後部易筋經十二段各法。列擧于下。以便練習。

## △第一段

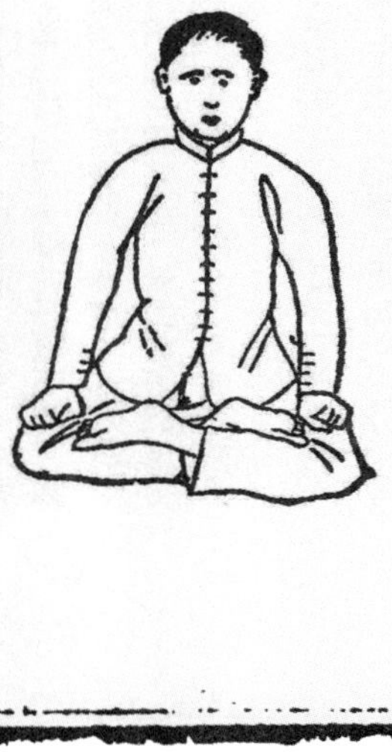
（第一圖）

先盤膝而坐。以右脚背加于左大腿之上面。更將左脚從右膝外扳起。以左脚背加于右大腿之上面。使兩足心皆向上。此爲雙盤趺坐法。即尋常打坐。亦多用此法。惟須練習有素。始能自然。坐時身宜正直。且不能有所依傍。而坐于木板之上。因棕籐之墊。質軟而有彈力。易使人身體偏側。故不相宜。兩手則緊握雙拳。四指屈于內。而以拇指護其外。兩拳放于膝頭之上。須純聽其自然。不可稍微用力。將雙睫下垂。眼露一縫。口緊閉。上下牙關相切。舌舐于牙關之內。冥心屏息。周身完全不用絲毫勉强之力。惟將精氣神三者。用意想之法。而注于丹田。在入手之初。決不能立時會合。惟如此凝思存神。日久自有功效。式如第一圖。

按此段在未行功之先。因心中雜念。一時不易完全消滅。雜念不消。則心神不寧。心神不寧。則精神渙散。行功等于不行。決不能收到絲毫效果。故先用此法消其雜念。然後行功。自無妨礙。所以必注想于丹田者蓋以其爲內府之中宮也。

△第二段

（第二圖）

行第一段功夫。大約以一炊時爲度。然後更續行第二段。趺坐如前。兩足並不放開。身體亦完全不動。惟兩手則將握掌之指。徐徐放開。以舒直爲度。然後將兩臂緩緩從側旁舉起。掌心向上。拳至平肩之時。則屈肱內引。由頭上抄至後面。同時翻轉手腕。使掌心向前。大指在下。至玉枕穴後面時。兩手漸漸接合。十指交叉。而抱持其後頭。兩手之掌根。適按于耳門穴之上。兩臂則成三角形。抱時不宜有形之力。頭略後仰。胸稍前突。惟在兩手動作之際。軀幹各部。不宜稍有震動。心意仍須注在丹田。既抱住頭顱之後。略事停頓。即提氣上升。意想此一口氣似由丹田而起。經過臍輪。上達心包。而過喉結。直至頂門而停留片時。再使由頂門向後轉下。經玉枕穴由頸椎緣脊而下。過尾閭抄至海底。再轉上而回至丹田。初行時不過一種意想。氣力必不能遵此途徑而運行自在。惟練習既久。自有成效。惟行此功夫時。須一切純任自然。不可有絲毫勉强。且不可過于貪功。是學者宜注意者也。

按此一段功夫。乃使氣力轉運循環之法。蓋頂門之百會穴。實爲首部要區。而臍下之丹田穴。實爲內府寶庫。同一緊要。故氣力上升。則貯于百會。氣力下降。則歸于丹田。一升一降。即周天循環之道。一起一伏。亦陰陽造化之機。所以須一切純任自然者。蓋本乎先天之靜穆。而致後天之生動之。練習時以循環二度而停止。乃將雙手放開。握拳收置于兩膝之上。回復原狀。

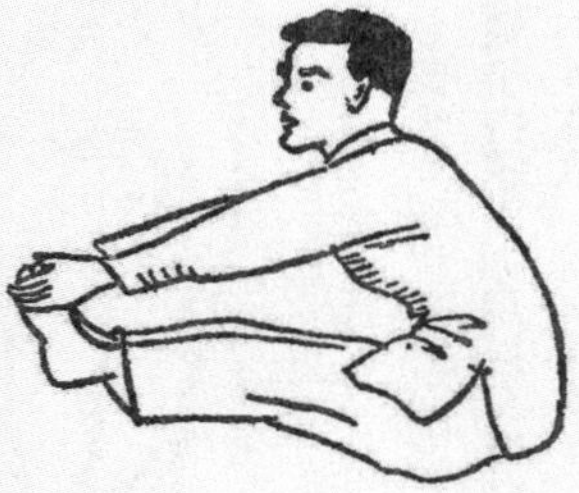

(第三圖)

△第三段

行第二段功夫既畢之後。乃將圈盤之腿。緩緩放下。略事休息。使腿部之筋骨。得以舒展。氣血不至因而壅阻。但在此休息之時。心神猶須寧靜。切不可有絲毫雜念興起。一炊時後。再將兩足徐徐向前伸去。至腿部平直爲度。兩腿緊並。兩足跟之後部放于板上。膝則直豎。足心向前。足尖向上。更將上身徐徐下俯。兩手則從旁側抄向前方。至足前時。乃交叉十指。收住兩足。須將兩足用力向前伸挺。而兩手則向後拉引。方爲得力。腰背兩部。始克因之而緊張。成此姿勢之後。乃將貯留丹田之氣。運于肩背腰股各部。初時亦僅意想可到。練至功夫漸深。則氣力亦可隨之俱到矣。行此一段功夫。亦以一炊時爲度。然後徐徐放開。回原來之平坐狀態。式如第三圖。

按此一段。乃充實軟當各部之法。其主要之處。則在乎腰間。因此一部。在人身各部之中爲最軟弱。氣力亦最不易貫注。故行時必須俯身至極度。然後始能使腰部之筋肉緊張。筋肉緊張之後。氣力亦較易達到。勤加練習。自有妙用惟身體起落之時。務徐緩。切不可向左右搖動。以亂其神而散其氣。是爲最要。學者愼之。

(第四圖)

△第四段

行第三段功夫既畢。略略休息。更續行第四段。先將兩脚徐徐盤起。以右脚背置于左大腿上面。然後將左脚從右膝外扳起。放于右大腿之上面。兩脚心皆向天。成爲双盤坐之勢。惟在兩脚盤坐時。上身切忌向前後或左右搖動。坐定之後。寧神一志。注氣于丹田。摒除一切雜念。稍事停頓。兩手即徐徐翻腕。使掌心向外。然後兩臂從左右兩側緩緩上舉。至頂門上面相合。交叉十指。再將腕向前翻轉。而使掌心向上。兩掌用力上托。同時運用其氣。使從丹田向上提起。轉入兩臂而達于指掌。亦用以意役神。以神役氣之法。並無有形之動作。惟意念之專注耳。行此一段功夫。亦以一炊時爲度。然後徐徐將手鬆開。將兩臂仍從旁側落下。運氣下降。回復原狀。式如第四圖。

按此段乃行氣于臂指之法。較第三段爲難。因臂部肌肉堅實。氣不易行。如欲練至意到氣達。氣到力隨之境。非短時間能奏效。頗費苦功也。其所以須盤坐而行者。固實其下盤也。架手于頂門。則可使全身上提。正直得勢。使氣易于上達。更不至中途所阻核也。在兩手動作之時。務須徐緩而固其神氣。不可粗率也。

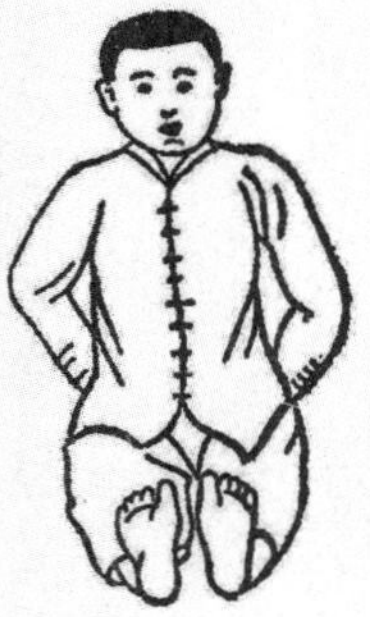
（第五圖）

△第五段

行第四段功夫既畢之後。乃將所盤之兩足。徐徐放開。向前伸去。以腿直爲度。兩足相並。以足跟之後部。放于板上。足心則向前。足尖則向上。與第三段之起手時相同。略略休息之後。即續行第五段功夫。先將兩手由兩旁側之下面。徐徐移向後方。至尾閭穴之後。兩手相合。交叉十指。將腕翻轉。使掌心向正後方。而兩手背則貼于尾閭穴之兩旁。須要貼得緊緊。不可稍有鬆浮。兩肩頭則用力前前逼出。兼向上聳。務使肩背部分之筋肉。緊張異常。然後用意想之法。運用其氣力。使充實其肩背。起初不過意行。久後自能達到。行此一段功夫。亦以一炊時爲度。然後徐徐收回双手。回復原狀。式如第五圖。

按肩背等部。骨多筋雜。皮肉極薄而堅實異常。故氣力之不易運行。與臂指相等。練習亦頗不易。收效之遲緩。較諸上一段爲尤甚。然能下苦功。亦必有成。此段之所以兩手放于後面。及兩肩前逼而兼上聳者。無非欲使肩背部分之筋肉緊張。而易于運行其氣。使之到達。不致多所阻核也。惟在運氣之時。並無有形之動作。純以意行耳。

△第六段

行第五段功夫既畢。略事休息。然後續行第六段。先將兩足收回。成盤坐之狀。以右脚背放于左大腿上面。更將左脚從右膝之外面扳起。亦將脚背放于右大腿上面。使成雙盤坐法。與第一段相同。兩足動作時。上身切忌搖動。坐定之後。前將兩手從旁移至前面。至臍下時。兩手相合。而交叉其十指。翻腕向內。以掌心捧住少腹。初時並不用力。冥心存念。略定神思。然後運氣由丹田而注于腎囊以活動其睪丸。停頓少許時。乃提氣上升。以回原處。作似欲將兩睪丸吸入腹中之想。在提氣上升之際。同時兩手心。亦漸漸用力。略作向上摩起之勢。略停片刻。更運氣注于腎囊。如此升降各十二度而功畢。式如第六圖。

六二

（第六圖）

按腎囊爲人身最要之物。睪丸又極嫩弱。稍受外力。即易破損。此一段功夫。乃專練收斂睪丸之法。即世稱之斂陰功是也。在初練之時。睪丸必難隨氣升降。然練習稍久。即易活動。反較運氣于肩背等爲易于收效。因腎囊爲筋絡所成。中空而運接于少腹。與丹田相距甚近。故氣力易于運到。待練習既久。睪丸自能隨氣升降矣。此功練成。人縱欲取我下部而制我之命。亦無從下手矣。

△第七段

行第六段功夫畢。略事休息。更續行第七段。上身及兩腿。完全不動。就原式略略加以停頓耳。兩手則從少腹上徐徐撤下。移向兩股之側。按于板上。大指在內。指尖則向前面。掌按板面。不宜過分用力。但求其能相貼合耳。心神既定之後。則將兩臂徐徐用力下注。意欲將上身作向上升起之狀。惟並非有形之動作。同時提氣上升。使充于胸廓。停滯不動。歷一呼吸之久。再將氣從原道降下。停于丹田。而兩臂之力。亦同時弛鬆。同復原狀。更隔一呼吸時。再提氣上升如前。如此升降各十二度爲止。此段功夫。雖不甚難。但在初入手時。亦不免有所阻礙。須經過若干時後。始克升降自如。式如第七圖。

（第七圖）

按此一段功夫。乃充實胸廓之法。運氣于內。固較行于筋膜之間爲易。惟運行雖易。而停滯一事。極爲煩難。若神氣未能完固之人。決難達到此目的。此即道家所謂凝神鑄氣之法也。初入手時。未能久停。爲時不妨稍暫。以後逐漸加長可也。是在學者自己斟酌之。

△第八段

行第七段功夫既畢之後。即就原式略事休息。調和氣力使稍弛展。然後再續行第八段。此段上身與兩足皆不動。一如以上三段之姿勢。惟將兩手提起。使離開板面。然後徐徐向前移去。繞至兩脚心之上面。即以左掌心緊按右足心。右掌心緊按左足心。即以中渚穴緊對湧泉穴也。大指在內。指尖相對。肘微兩曲。背部並不用十分氣力。但以手足兩心貼合爲度。略略停頓之後。始將兩臂稍微用力撑柱同時將氣從丹田中運行而出。使之從下抄左。轉上繞右方而下。回至丹田。在臍之四周繞一圓圈。上及肚子之下。旁及前腰。如此運行一周之後。即休息一呼吸時。再爲運行。以九度爲止。若爲女子。則宜自右而左。式如第八圖。

六四
(第八圖)

按此段乃煉氣充實肚腹之法。而兼及于腰腎之前部者。行時宜先鼓足其氣。使之略一停滯。然後再運之循軌而行。似較稍易。惟在運行之時。非但外表不宜顯有形之動作。如身體動搖等。即內部亦不宜有迸氣掙力之象。須純任其自然。初時固未必能盡如我意。久後必可成功也。

△第九段

行第八段功夫既畢之後。仍就双盤坐之原式。略事休息。上身與腿足。完全不動。一如上式。惟將兩手徐徐至側面。仍按于板上。休息約三個呼吸時。則續行此第九段。先將右手在前面徐徐向斜上方屈肱舉起。至左肩之上。即用手掌搭于肩上。掌心適按于肩窩穴上。五指則在肩後。肱緊貼于胸脅前面。然後再將左手亦從前面向斜上方徐徐屈肱舉起。左掌心按住右肩窩穴。肱則緊貼于右肱之外側。用力緩緩彌緊。而使其肩背之筋肉。緊張至極度。同時則運用丹田之氣。使之上升。而充實其肩背之內部。初時決難氣隨神到。但宜用意想之法行之。日久之後。自能運行無阻。式如第九圖。

（第九圖）

按此一段亦係行氣于肩背之法。肩背以筋維肉薄之故。氣力殊不易運到。惟其不易運到。故須多練。而此後部易筋經中。對于練習肩背之法獨多。亦以此也。行時所以必兩手抱肩。緊緊相嵌者。亦正欲使其肩背緊張。而氣易于貫注也。

△第十段

行第九段功夫畢。先將左手徐徐落下。按于板上。再要右手落下按板。然後將圈盤之兩腿。徐徐放開。直伸于前。略事休息。更續行第十段。須將兩脚收回。屈膝而跪。兩腿緊緊相靠。脚背貼板臀部坐于小腿之上面。尾閭則緊靠兩脚跟。上身略向後仰。頭正目前視。但經此一番動作。心神必外奮。故須休息片時。加以收攝。心神既定。則徐徐將兩手從側面抄至前下方。屈肱向上舉起。至心窩旁兩乳下爲度。乃將兩手掌輕輕按于脅上。兩肘則略略用力後引。惟非有形動作。按定之後。即將氣提之上升。用意想之法。使之充滿于兩乳房。停滯不動。歷一呼吸之久。仍從原路使之下降。如此升降各九度而止。式如第十圖。

按乳房在胸前亦係主要之部份。而膺窗乳根等大穴。皆在于此。若不練氣之充實。最易爲外力所傷。與斂陰一段功夫。實有同等之緊要。此段之所跪行者。蓋欲使上身正直。而氣易于運行也。兩手按脅者即所以示氣循行之路也。

（第十圖）

## △第十一段

（第十一圖）

行第十段功夫既畢。即就原式略息片時。兩手則徐徐放下。垂于旁側稍稍舒展。續行第十一段。先將兩手稍微擧起。徐徐移向前面。至膝蓋之上。乃將右掌心按于右膝蓋。左掌心按于左膝蓋。即膝骨與腿骨接合之處。大指在內。指尖向前。兩臂稍爲用力作撑柱之狀。上身則向後作倚靠之勢。頭則後仰至極度。心神既定之後。則將氣提之上升。經臍輪心坎等部而上起。至喉結穴而停留不動。使喉部充實。如此歷一呼吸時。仍將氣下降。停滯丹田。亦經一呼吸之時。再運氣上升而充注于喉結穴。如此升降各九次後乃將上身徐徐坐直。頭亦下俯。兩手亦收回垂兩側。回復原狀。式如第十一圖。

按咽喉爲人身最要之地。生死關頭之所繫。且喉管爲一軟骨。雖有筋肉護于其外。奈極薄弱。故此部最易受傷。稍重即足制命。故必須加以煆煉。若能運氣于喉。而充實其內部。功夫精純時即快刀利劍。亦不足以損其毫髮矣。惟此部功夫。亦極不易練耳。

六八

（第十二圖）

△第十二段

行第十一段功夫既畢。則將上身拾起。而使兩足徐徐舒展。直伸于前。略事休息後。即收起兩足盤坐。仍以右脚背置于左大腿上。而左脚背則置于右大腿上。成雙盤坐之勢。在動作之後。神志不免外鶩。故須冥目靜心以收攝之。待心神既定之後。即將兩手移至前方。上下相向。右手在下。左手在上。掌心相合。然後用力將左掌自左而右。旋摩七十二度。再翻轉兩手。使右手在上。左手在下。用右掌之力。自右而左。亦用力旋摩七十二度。此時掌心熱如火發。乃將兩掌移貼後腰。先由外轉內。旋摩七十二度。更由內轉外。亦旋摩七十二度。則此段功夫畢矣。仍收回兩手。作第一段趺坐之勢。式如第十二圖。

按此十二段功夫。皆係坐行之法。甚不易行。且久坐傷精。為行功十八傷之一。此一段加于十一段之後。良非無故。蓋恐行功之人。久坐而損傷其精。故用此一段以養其精。後腰。精之門也。精門和暖。則生氣自足。更不慮其損傷矣。

形意拳術講義

# 形意拳术讲义目录[①]（下编）

## 十二形拳术目录



注释

①目录：原文的目录与正文有不一致或缺失、混乱的情况，在此根据正文重做补充和整理。

# 十二形拳术

## 绪言

夫十二形者，本诸天地化生而来也。曩昔本为十形，原属天干气数也，后者扩为十二形，原属地支气数也。[1]干数十，支数十二。[2]盖天之中数五，故气原乎天者无不五。五气合一，一阴一阳，故倍之成十。地之中数六，故气原乎地者无不六。六气合一，一阴一阳，故倍之成支，此十二形数之由来也。[3]既有其数，而即取诸动物之特能，成为十二形。[4]

十二形者，系龙、虎、猴、马、鼍、鸡、燕、鹞、鹘、蛇、鹰、熊是也。然诸物所具之特长及性能，人以身形物之形，物之意以人意悟之。此形意拳名之理源也。[5]练之洁内华外[6]，使人身四肢、五脏、六腑、七表、八里、九道、[7]十二经络[8]无闭塞之处，而百病亦无发生之源。故拳中有四象、五行、六合、七政、八卦、九宫，而化取十二形，以气通贯十二经络是也。[9]夫学者于形意十二形潜心玩索，洞明奇偶之数、阴阳之理，果无悖谬。久之不特强身，且能强种强国，胡不勉力行之哉?

注 释

① 夫十二形……气数也：十二形，是根据天干数和地支数演化生成出来的。早先本来是十形，属于天干气数，后来扩充为十二形，则属于地支气数。

② 干数十，支数十二：天干数有十个，地支数有十二个。

③ 盖天之中数五……之由来也：因为天数的中位数为“五”，所以任何事物从天得来的气数，无一不是五种，五气合为一气，一种阴气，一种阳气，所以五乘以二成为“十”。地数的中位数是“六”，所以任何事物从地得来的气数，无一不是六种，六气合为一气，一种阴气，一种阳气，故乘以二成为地支数。这就是十二形数的由来。

**按**：《易·系辞上》：“天一，地二。天三，地四。天五，地六。天七，地八。天九，地十。”则一、三、五、七、九是天数，其中位数是“五”；二、四、六、八、十是地数，其中位数是“六”。

④ 既有其数……为十二形：有了十二形数，于是就取来各种动物的特能，而成为十二形拳。

⑤ 然诸物……此形意拳名之理源也：这样的话，各种动物所具有的特长及性能，人以自身的形象模仿动物的形象，动物的意识用人的意识来领悟它，这就是“形意拳”这个名称的由来。

⑥ 练之洁内华外：练习十二形拳，使人内部清洁通利，外表光彩照人。

⑦ 七表、八里、九道：本指中医脉诊的二十四种脉象，即七种表脉、八种里脉、九种道脉，这里指人身里、外各种通道、管道。

⑧ 十二经络：即手三阴、手三阳、足三阴、足三阳十二正经。

⑨ 故拳中……十二经络是也：所以虽然形意拳中已经有了四象、五行、六合、七政、八卦、九宫，但是还需要演化出十二形，用气贯通十二经络。四象，鸡腿、龙身、熊膀、虎抱头；五行，五行拳；六合：内三合、外三合；七政，五行连环拳；八卦，未详；九宫，飞九宫。

# 第一章　龙形讲义

龙者，水中最灵猛之物，在卦属震为木，形本属阳，乃真阴物[①]也。取诸于[②]身而为离[③]，属心。心属火，故道经[④]有言：龙从火里出[⑤]。又为云，云从龙。龙之天性，有蛰龙翻浪升天之势，抖搜之威，游空探爪、缩骨之精，隐现莫测[⑥]。取之于拳，则为龙形。此形之精意，神发于目，威生于爪，劲起于承浆之穴[⑦]任脉，与虎形之气循还相接[⑧]。两形一升、一降，一前、一后。以拳法之用，外刚猛而内柔顺。形势顺，心内虚空，而心火下降，心窍开而智慧生，即道家火候，空空洞洞是也。形势逆，筋络难舒，则身被阴火焚烧矣。故曰：

一波未定一波生，好似神龙水上行。

忽而冲空高处跃，声光雄勇[⑨]令人惊。

学者于此形当深心格致[⑩]，久则道理自得。龙形路线三步一组。其步法类[⑪]劈、蹿而非直线。如下图[⑫]（图 1）。



**注 释**

① 阴物：当为“阳物”，阳性动物。

② 诸于：当为“之于”，此处遵原文。后不另注。

③ 离：离卦。

④ 道经：道家的书。

⑤ 龙从火里出：指心火下降。出自道经中的《太白真人歌》，原文为：“五行颠倒术，龙从火里出。五行不顺行，虎向水中生。”唐代崔希范《入药镜》曰：“肾中生气，气中暗藏真一之水，名曰阴虎。心中生液，液中暗藏正阳之气，名曰阳龙。”

⑥ 隐现莫测：或隐藏，或现身，不可测知。

⑦ 承浆之穴：即承浆穴，在颏唇沟的正中凹陷处，是胸前任脉的上端点。

⑧ 与虎形之气循还相接：龙形之气沿胸前任脉下行，虎形之气沿后背督脉上行，两者正好构成一个圆环。还，同“环”。

⑨ 声光雄勇：声音如雷，目光如电。

⑩ 格致：格物致知，这里指研习。

⑪ 类：类似（于）。

⑫ 下图：指第一节“龙形进步路线”图。

## 第一节　龙形进步路线

图 1

## 第二节　龙形右起落势

三才开势。先将左足向前垫步，两手同时攥上拳，身子向下塌劲，随时[①]身向左拧，暗含[②]顶劲上起之意。右手于左足垫步时，向里拧劲，拧至手心朝上，顺心口上蹿，膀扣腰缩，势如怒涛，往前如托送物之势，伸至极度为阴拳，高与肩齐，肘顺左膝。左手拳亦同时向回拉至左胯前，大指紧靠小腹。身曲形拗。目视右拳大指中节。[③]

此节形势不停，再将右足提起，膝顶右肘[④]，足前伸[⑤]，斜向右边进步，身腰向右拧，暗含往上起劲[⑥]。右手向外拧劲，极力上蹿伸至极处[⑦]此起蹿劲，自然之起蹿，发于丹田，而起于涌泉穴。[⑧]再将手腕下翻成阳掌，五指抓劲，极力往回拉，拉至右胯，大指紧靠脐腹。左手于右足提起时，同时从心口顺右肱极力向前推劲，伸开下翻成半阴阳掌。与右膝相顺。身腰向下伏劲，将小腹放在右大腿上。头顶身伏，两腿相拗，剪子股势。目视左手食指稍停住。再演。（图2）

图2　龙形右起落势图

此龙形承上接下，贯为一气[⑨]，不可中间隔断，谓之右势潜龙翻浪升天击地之形也。

注释

① 随时：同时。

② 暗含：暗蓄。

③ 以上第一自然段是第一动。

④ 膝顶右肘：（先将）膝盖提到右肘处。

⑤ 足前伸：（再将）脚往前上蹬出。以上是第二动。

⑥ 斜向右边……往上起劲：这是第三动的预备。右边，右前方。进步，进而不落。

⑦ 右手向外拧劲，极力上躜伸至极处：这属于第二动。以下为第三动。

⑧ 此起躜劲……涌泉穴：这种起躜劲，是自然的起躜劲（即随身起躜，手臂不自为起躜），是用丹田发出来的，其力源在左脚（支撑脚）的涌泉穴。

⑨ 贯为一气：连贯一气，一气呵成。

## 第三节　龙形左起落势

进步换势时，先将右足垫步。左右两手同时攥拳，右手拳仍在右胯，左手变拳极力向里拧劲，拉回至脐前，拳心朝上，再顺胸前伸出，伸至极处。肘顺右膝，拳与肩齐。头暗含上顶，身要拧劲[①]上躜。目视左手阴拳大指中节。[②]

再将左足提起，膝顶左肘，足前伸，斜向左边进步，身腰向左拧，往上起。左手向外拧，往上躜劲，伸之极度，[③]下翻成阳掌，五指抓回，向后拉劲，拉至左胯，大指紧靠脐傍[④]停住；右手于左足提起时，同时从心口顺左肱极力向前推劲，至极度下扣变成阴阳掌，与左膝相顺。身腰向下伏劲，将小腹放在左大腿上，头顶，身伏，两腿相拗，形如剪子股。目视右手食指。此谓之左势潜龙翻浪升天击地之势也。(图3)

图3　龙形左起落势图

再往前演，两手、两足起落、蹿翻，仍如左、右二势惟换势蹿手之时，目之视线随手之上下为标准⑤。数之多寡勿拘。

注 释

① 身要拧劲：身再右拧。

② 以上第一自然段是第一动。

③ 再将左足提起……伸之极度：以上是第二动。以下为第三动。

④ 傍：同“旁”，旁边。后不另注。

⑤ 目之视线随手之上下为标准：视线要随手的上钻和下落移动，即眼随前手。

## 第四节　龙形回身法

左足在前右转身，右足在前左转身。转身时[①]，左足尖向回扣，扣在右足傍，成八字势。两手同时攥拳，向怀中合劲，合至手心朝上，顺身上蹿，右手阴拳蹿至平鼻[②]，肘在心口，拳顺左膝[③]，左手阴拳在右肘下。目视右手阴拳。

图4　龙形右起回身势图

右足亦提起顶右肘[④]，足尖斜横平伸[⑤]，向右边斜着进步落地。右手拳同时翻扣、回拉，拉至右胯靠小腹；左手拳亦同时顺右肱极力向前伸开，下翻成半阴阳掌。两腿相拗[⑥]，身腰下伏，将小腹放在右大腿上。目视左手食指稍。（图4）

如收势，仍归于原起点，休息。

拳经云：

左足回扣，随势转身。
右足相提，右拳阴伸。
左拳抑[⑦]抱，推挽力均。
手足齐落，两拳半阴[⑧]。
后手在肋，前掌齐心。

注释

① 转身时：这是讲右转回身法。

② 平鼻：与鼻相平。

③ 拳顺左膝：右拳与左膝相顺。

④ 顶右肘：膝顶右肘。

⑤ 足尖斜横平伸：足尖外横着平蹬出去。

⑥ 两腿相拗：两腿互相拗（ǎo）住。

⑦ 抑：据原稿“勘误表”，“抑”当作“仰”。

⑧ 半阴：半阴半阳。

# 第二章　虎形讲义

虎者，山中猛兽之王。在卦属兑[①]，为金[②]。取之于身而为坎，属水，为肾。坎生风，风从虎。虎之天性，有离穴抖毛之威，扑食之勇，故道经有言：虎向水中生。此形与龙形之势，轮回相属[③]，能通任开督[④]，在丹经[⑤]谓之水火交而金木并，四象合和。[⑥]取之于拳，为虎形。此形之威力，起于臀尾之劲督脉，发动涌泉之穴。[⑦]起落不见形，猛虎坐卧藏洞中。以拳之应用，外猛而内和。形势顺，则虎伏而丹田气足，能起真精补还于脑。道经云：欲得不老，还精补脑。正是此二形之要义也。形势逆，而灵炁不能灌溉三田，流通百脉，反为阴邪所侵，而身重浊不灵空矣。故曰：

猛虎穴伏双抱头，长啸一声令胆惊。

翻掀尾蹿随风起，跳涧抖搜施威风。

学者最当注意格务[⑧]龙虎二形之理，得之于身心，则谓之性命双修[⑨]。虎形路线如炮拳，则以三步一组，惟有不同者，手法、步法耳。如下图[⑩]（图5）。

注释

① 兑：兑卦。

② 金：五行之“金”。

③ 相属：相连。属，音 zhǔ，连属。

④ 通任开督：开通任脉和督脉。

⑤ 丹经：关于炼内丹的书。

⑥ 水火交而金木并，四象合和：虎为金属水，龙为木，属火，虎形之气与龙形之气沿着圆环连成一圈，则是水火相交、金木相并，水、火、金、木四象合和。

⑦ 此形之威力……发动涌泉之穴：虎形拳的威力是由后脚的脚底涌泉穴处发动，经过臀尾时臀部向前一挤，将后面来的劲向前一送，同时腰部一提一坐，而将全身之力经后背督脉注于一扑之中。

⑧ 格务：即格物，习练研讨。

⑨ 性命双修：道家认为，心中元神为性，肾中元气为命，神气合和，即为性命双修。

⑩ 下图：指第一节“虎形进步路线”图。

## 第一节　虎形进步路线圆圈是提足

图 5

注释

① 一组：据原书“勘误表”，此处“一组”应为“三组”。

## 第二节　虎形起势

三才势[①]，先将右手前伸，与左手相齐，往前向下斜伸直，左足同时垫步[②]。右足极力向前大进步[③]，左足亦同时再跟步提起，足尖着地，紧靠右足里胫骨。左右两手同时攥拳，俟右足进、左足提跟时，向怀中合抱[④]至脐，紧靠小腹，翻成阴拳，两肘加肋。头顶腰沉[⑤]，舌卷气息[⑥]，目前平视。(图6)

图6　虎形起势一图

注 释

① 三才势：由三才势。

② 先将右手前伸……同时垫步：以上是第一动，以下是第二动。

③ 右足极力向前大进步：右脚大进一步到左脚前。

④ 向怀中合抱：即两手合力採捋。

⑤ 腰沉：即塌腰。

⑥ 气息：即气沉丹田。

## 第三节　虎形落势

图7　虎形落势二图

再将右足向前垫步[①]。左足同时[②]向左边斜进步着地，右足随同跟步，相离一尺三四寸。此跟步总宜合各人之外五行姿势为佳。[③]两拳亦同足着地时，顺前胸向上蹿，俟至下颏下，往前连蹿代[④]翻扑出。两手大指根相对，虎口圆开，手与心口相平。两肱伸曲，肩外开劲。[⑤]目视两手正中。（图7）

再演，两手与前足垫步之时，同时落至小腹，手心向上，两肘抱肋。如第二节一图。再进步出手如第三节二图。起蹿、落翻，手法、步法均相同。数勿拘。回身总宜出左足之势再回身。

**注 释**

① 再将右足向前垫步：这是第一动。以下为第二动。

② 同时：这里实际是指“随之”“随即”。

③ 此跟步总宜合各人之外五行姿势为佳：跟步的远近及两脚前后距离总应该和练习者的身体高矮相适合为好。

④ 代：当为“带”。

⑤ 两肱伸曲，肩外开劲：两臂微曲，两肩向外松开下沉。

## 第四节　虎形回身法

左足在前右转身，右足在前左转身。转身时，左足尖回扣，扣在右足旁成斜八字势，右足随跟提起①。两手同时攥拳，仍抱小腹②。再进步换势，手足起落蹭翻，仍与前势相同（图8）。收势归原休息。

图8　虎形回身三图

拳经云：

左足回扣，右足随之。

左斜右提，眼观一隅。

掌变阴拳，右肋左脐。

有如丁字，莫亢莫卑。

两肘在肋，舌卷屏息。

注 释

① 右足随跟提起：右脚随即跟步提起。

② 仍抱小腹：向怀中合抱至小腹。

# 第三章　猴形讲义

猴者，最灵巧之物[①]也，牲[②]属阴土，取身内属脾，为心源[③]。其性能有纵山跳涧飞身之灵，有恍闪变化不测之巧。在拳用其形，故取名为猴形。以拳势言之，有封猴挂印[④]之精，有偷桃献果之奇，有上树之巧，有坠枝之力，辗转挪移，神机莫测之妙。以形中最灵巧者，莫过于猴之为物也。故曰：

不是飞仙体自轻，若闪若电令人惊。

看他一身无定势，纵山跳涧一片灵。

然练时，其拳形和，则身体轻便快利，旋转如风。拳形不和，则心内凝滞，而身亦不能灵通矣。

此形之运用，与各形势不同，手、步法，是一阴一阳，一反一正，先练为阴，回演为阳。[⑤]步法一步、二步、三步旋转身法。[⑥]学者于此形，切不可忽略焉。

注 释

① 物：动物。

② 牲：原文“牲”字误，应作“性”。

③ 心源：“心猿”的谐音，出自成语“心猿意马”。此处意为，练猴形拳，能使人心灵。

④ 封猴挂印：中国传统吉祥图案，内容为猴子攀上枫树摘取挂在树上的印。“枫”是“封”的谐音，“猴”是“侯”的谐音，此图案隐喻“高升”的意思。猴形拳的“封猴挂印”是抓脸，在对方脸上留下印痕。

⑤ 先练为阴，回演为阳：猴形拳套路整个一个来回，往回打与往出打的同名拳势，都是左右相反的。

⑥ 步法一步、二步、三步旋转身法：猴形拳还有一组特色拳法，就是连进三步，第三步时捋手踢腿接360度转身，然后继续往前打去。

## 第一节　猴形进步路线左右练法相同

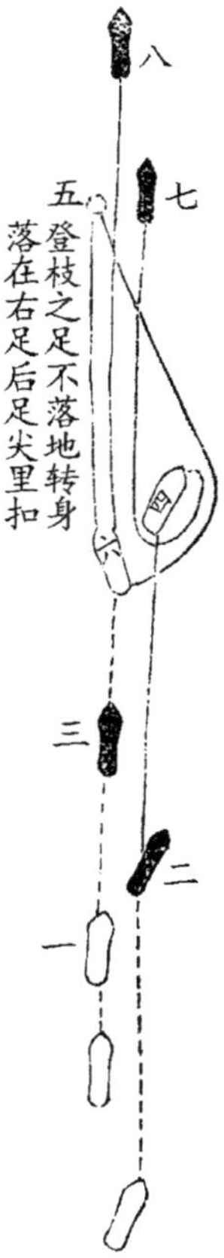


图 9

## 第二节　猴行[1]起势

两仪开势[2]。左手上起前伸与头顶相齐，右手下落至心口，两手如撕棉形。左右手半阴半阳[3]，眼看左手食指稍。为左势封猴挂印[4]图。（图 10）

图 10　猴形左势封猴挂印图

注 释

① 行：原文“行”字误，应作“形”。

② 两仪开势：即由“太极图”（《形意拳术讲义上编》，形意拳术，第一章总纲，第三节太极）接做本势，以替代三才势。

③ 左右手半阴半阳：左、右手均为半阴半阳掌。

④ 封猴挂印：封猴即“封喉”。挂印，在对方面部挂上印记。

## 第三节　猿猴偷桃献果

再换势。两足不进。左手停住不动，右手心向上顺左手肘外上蹪[①]，与左手相齐（为偷桃）；左手俟右手相齐之时，左手心向上扭劲，此时两手心皆向上，两掌相对。名为白猿献果。（图 11）

图 11　猴形猿猴偷桃献果图

注释

① 右手心向上顺左手肘外上蹪：右手从左肘下上穿至左手外侧时，再一齐翻成手心朝上。

**按**：此为“摘手”，当对方擒拿我左手时，我右手穿出反拿对方，“摘”出左手。

## 第四节　猿猴上树[①]

再进步。两手下翻半阴半阳[②]，攞[③]的与心口相平，左手顺肩，肘顺肋，[④]右手抱左肘上。左足先进，右足尖向外斜横[⑤]，与两手下翻之时，同时再进。名为猿猴上树。（图 12）

图 12　猴形上树图

注 释

① 猿猴上树：此势为上面双手採捋对方手臂，下面先左脚垫步，再上步用右脚踩对方的腿，因此叫作“猿猴上树”。

② 两手下翻半阴半阳：两手下翻成半阴半阳掌。

**按**：此动为採拿之意。

③ 攞：音 luó，向上捋。

④ 左手顺肩，肘顺肋：左手与左肩相顺，左肘与左肋相顺。

**按**：此即自身向右拧斜，将右半边让空。

⑤ 右足尖向外斜横：此为上步踩腿之意。

## 第五节　猿猴顺水推舟[①]

右足落地未停之时，左足速往前进。左右手顺势推出，为顺水推舟（图 13）。一、二、三、四势，手足不停，连环一气演习，不可中间停势为佳。[②]

图 13　猴形推舟图

注 释

① 猿猴顺水推舟：紧接上势，假设对方后挣，我方急上左步，封闭对方下盘，双手仍按对方手臂，用整劲向前一拥，将对方打倒。因此势要顺对方后挣之力，所以叫作“顺水推舟”。

② 一、二、三、四势……不可中间停势为佳：此节二动与上节二动共四动，这四动中间不可停顿，要一气演下来。

## 第六节　猿猴摘果

推舟势的两足足根[①]尖再起落，不进。双手下落，身要曲，头要顶。再推出，仍落推舟势[②]。再落下，左手回撤至左肋，右手上起与肩相齐，中指、无名指、小指皆蜷回，大指、食指前伸如月芽形[③]。眼看右手虎口。为右手摘果。(图 14)

图 14　猴形摘果图





注 释

① 根：古同“跟”。后不另注。

② 推舟势……仍落推舟势：在“猿猴摘果”之前，先做第二次推舟势：两脚不离原地，先两手一齐拉回，缩身顶头，重心后移至右腿，前脚尖抬起；再挺身，蹬右腿，双手一齐向前推出，前脚落地踏实，后脚跟略欠起，重心偏前。

③ 再落下……伸如月芽形：此为掐喉动作，因其形似猿猴摘果，故名。注意此势为左脚、右手在前的拗步，照片看不清。

## 第七节　猿猴坠枝[1]

图 15　猴形坠枝图

左足不动，右足斜横，足尖向外前进。[2]左手顺右手背，与右足前进之时同时前出，如鹰捉之势。两手再随时[3]上起，右手心向外向上拧劲，拧至齐右眉；左手向里合至手心朝上顺鼻[4]，眼看左手大指稍。成左肩右膝斜势。为猿猴坠枝。（图 15）

注 释

① 猿猴坠枝：本势意在断敌上肢，故称“坠枝”。“枝”指对方手臂。

② 右足斜横，足尖向外前进：右脚外横着进步。

**按**：此动有踩意。

③ 随时：随即。

④ 顺鼻：与鼻相顺。

## 第八节　猿猴登枝

右足不动，左足与坠枝同时提起，与胯相平蹬出，踏人肋穴，或心口、气海，随心应用。头顶住劲，腰要活泼。看敌人之肩尖。名为猿猴大登枝。（图 16）

图 16　猴形大登枝图

## 第九节　猿猴转身右手封猴挂印

左登枝之足不落地，随右转身①之时落在右足根后，足尖向里扣；右足俟左足落时，速往前进，仍成踵对胫之斜势。左手屈回，扣在右肩上，右手下抱左肋。②俟转身右足前进之时，左手顺身下落至心，右手上起齐顶。名为右手封猴挂印。（图 17）

图 17　猴形右手挂印图

注释

① 右转身：右转身 360 度，仍向前。

② 左手屈回……抱左肋：这一动与转身、左脚落扣同时，为第一动，以下“封猴挂印”为第二动。此第一动无图，可参考后面第十一图（前后相反）。

## 第十节　猿猴扒杆[①]

再换势。将左手从心口处望着右手上边出去，右手抽回右肋。左足与左手出时同进，再进步如鹰捉之势（图 18）。数之多寡自便，如回身，左手左足再转身。[②]练扒杆法，两手心半阴半阳，如同上树之形。

图 18　猴形扒杆图





注 释

① 猿猴扒杆：此势为攀援式打法，是同侧手足在前的顺步势。

② 数之多寡……再转身："猿猴扒杆"可打一次，也可连打多次，但要打到左手左脚在前时右转回身。

## 第十一节　猿猴转背回身法

左手左足在前，右转身①。转时，左足尖往回里扣劲成斜横②，右足随身转，仍顺。③左手随身转时，拳回扣在右肩上，④手心向肩尖，如同扣住一般，次将右手随身转时上起齐眉，左手下落至肋，两手分开皆用抖力⑤。为回身右手封猴挂印。（图 19）

图19　猿猴转背回身图

注释

① 左手左足在前，右转身："猿猴扒杆"打到左手左脚在前时，右转回身。

② 斜横：即外撇45度。

③ 右足随身转，仍顺：右脚随着转身，以脚后跟为轴外转，仍成"顺脚"。

**按**：脚朝正前为"顺脚"，这里的"前"是指回身后的"前"。

④ 左手随身转时，拳回扣在右肩上：这是回身第一动，其技击含义为扣对方的手。拳，通蜷。拳回，即团住。

⑤ 两手分开皆用抖力：两手分开要用整体抖劲，左手将敌手拉回，右手抖击敌面部。

## 第十二节　猿猴扨绳

右手封猴挂印回演[①]。再换势，右手右足抽回，右手抽在右肋，右足提回与左足相齐，足尖点地。左手顺右手抽回时前进[②]，高与眉齐，胳膊弯曲。身要三曲[③]势，头顶劲，腰塌劲，身正，眼平。为十二势。（图 20）

图 20　猴形扨绳图

注 释

① 右手封猴挂印回演：由右手封猴挂印势往回演练。

② 左手顺右手抽回时前进：左手从右手上边，顺着右手臂，在右手抽回的同时向前打出。

③ 三曲：拳谱云："两肱宜曲，曲则力富；两股宜曲，曲则力凑；手腕宜曲，曲则力厚。是谓'三曲'。"肱，臂。股，腿。

## 第十三节　猴形右手挂印

再换势。左手抽回，右手右足再前进，仍落右手挂印。附十三图。（图 21）

图21　右手挂印图

## 第十四节　猴形回演[①]

猿猴偷桃献果，与三节相同。

**注 释**

① 猴形回演：猴形套路往回演练时，由于起始的“封猴挂印”是右手右脚在前，与往出演练时的起势“右手挂印”正好左右相反，所以以下各同名拳势都与往出演练时动作相同但左右相反，因此打回原地再回身打出的第二个封猴挂印又成了左手左脚在前，正好就此收势。

## 第十五节　猴形回演

猴形上树，与四节相同。

## 第十六节　猴形回演

猴形顺水推舟，与五节相同。

## 第十七节　猴形回演

猴形摘果，与六节相同。

## 第十八节　猴形回演

猴形坠枝，与七节相同。

## 第十九节　猴形回演

猴形登枝，与八节相同

## 第二十节　猴形回演

猴形转身左手封猴挂印，与九节相同。

## 第二十一节　猴形回演

猴形扒杆，与十节相同。

## 第二十二节　猴形回演

猴形转背左手封猴挂印，与十一节相同。

## 第二十三节　猴形回法[1]

猿猴扨绳，与十二节相同。

注释

① 法：据原稿“勘误表”，“法”当作“演”。

## 第二十四节　猴形回演

猿猴左手封猴挂印，与十三节相同。

## 第二十五节　猴形回演

附猿猴右手扨绳十二节、左手挂印十三节图列后。

右手在前左转身，转成左手封猴挂印。再将左足左手抽回，抽在左肋。左足提回与右手[①]相齐，足尖点地。右手顺左手抽回时前进，与眉相齐，胳膊屈弯。身要三曲势，头顶劲，腰塌劲，身正眼平。名为猴扨绳。（图 22）

右手抽回，左手、左足前进，仍落左手挂印（图 23）。收势休息。

图 22　右手扨绳图

图 23　左手挂印图

注 释

① 手：据原稿“勘误表”，当作“足”。

# 第四章　马形讲义

马者，最仁义之灵兽，善知人之心，有垂韁之义[①]，抖毛之威，有蹟蹄[②]之功，撞山跳涧之勇。取诸身内，则为意，出于心源，故道经名意马[③]。意属脾，为土，土生万物，意变万象。以性情言，谓之心源。以拳中言，谓之马形。以拳法之用，有龙之天性，翻江倒海之威。[④]此拳外刚猛，而内柔和，有心内虚空之妙，有丹田气足之形。拳形顺，则道心生，阴火消灭，腹实而体健。拳形不顺，则心内不能虚灵，而意妄气努，五脏失和，清气不能上升，浊气不能下降，手足亦不灵巧矣。故曰：

人学烈马迹蹄功，战场之上抖威风。

英雄四海扬威武，全凭此势立奇功。

学者于此形，尤宜注意而深究。步径直，两步一组。如下图[⑤]（图24）。



注释

① 垂韁之义：垂韁救主之义。垂，垂下。韁，韁绳。《异苑·卷三》："苻

坚为慕容冲所袭，坚驰马，堕而落涧。追兵几及，计无所出。马即踟蹰临涧，垂韁与坚。坚不能及，马又跪而援焉，坚援之，得登岸而走庐江。”

② 蹟蹄：当指马斗时，双后腿支撑，身体直立起来，用前蹄向前下刨击，在对方身上留下蹄印。蹟，又作“跡”，脚印，痕迹。

**按**：“蹟蹄”一词目前可见多种解释，今将代表性的三种罗列于下，供读者参考鉴别。

其一，疾蹄，是将“蹟”写作“疾”，当为误植。

其二，后蹄超过前蹄，是将“蹟”解为“追踪”，这是说“马奔”，不是说“马斗”。

其三，孙禄堂《拳意述真》记郭云深先生言：“拳经云‘脚打踩意不落空’是前足，‘消息全凭后足蹬’是后足，‘马有蹟蹄之功’，皆是言两足之意也。”这是说两足发力的普遍法则，不特指马形。

③ 故道经名意马：道经之一，汉代魏伯阳《参同契》：“心猿不定，意马四驰。”

④ 以拳法之用……翻江倒海之威：《山海经·图赞》：“马实龙精，爰出水类。”《吴承恩诗文集·送我入门来》：“马有三分龙性。”可见，中国自古认为马与龙有密切关系。

⑤ 下图：指第一节“马形进步路线”图。

## 第一节　马形进步路线

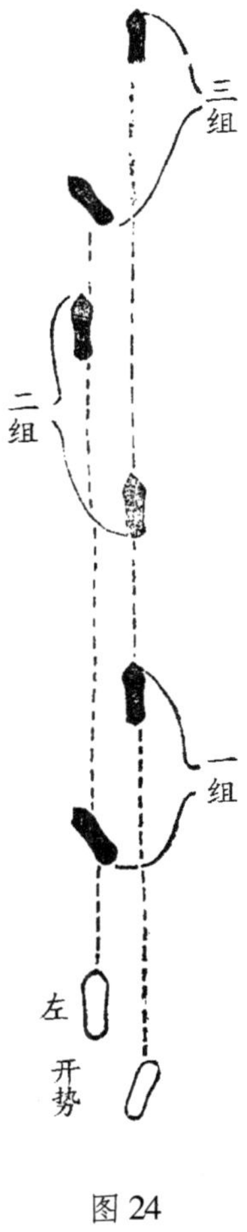


图 24

## 第二节　马形右起势

图 25　马形右起势一图

三才势[①]，先将左足尖向外横斜着垫步，左手同时攥上拳，向里平着合劲，合至与肘相平，成半圆形，扣[②]为阳拳，虎口向里，与心口平齐；右手亦同时攥上拳，向里拧劲，手心朝上[③]，顺身[④]向前伸，至左手腕下，距离二三寸，后肘[⑤]直对心口停住。两肩里扣[⑥]。头顶劲。身子阴阳相合。目前平视[⑦]。此势谓之马形摇身，即伏身前进之意也。（图 25）

注释

① 三才势：由三才势。

② 扣：翻扣。

③ 手心朝上：拧至手心朝上。

④ 顺身：顺着身前中线。

⑤ 后肘：即右肘。

⑥ 两肩里扣：扣肩。

⑦ 目前平视：目向前平视。

## 第三节　马形换势

左足不动，右足向左足前进步着地。右手同右足进时[①]，极力向前伸劲抖出[②]，与右膝相顺；左手亦同时向后拉劲，拉至右肘下，仍阳拳停住。两肩向外开展，头顶劲，身抖劲。目视右手大指根节。此势谓之马形抖毛硬撞山（图 26）。前两势承上接下，演时一气贯彻为合宜。

图 26　马形换势二图

再演则为左势，一切手法、步法，仍与前右势势法相同，循环左右，两势互相更换。次数多寡自便。

**注 释**

① 右手同右足进时：右手在右脚进步的同时。

② 极力向前伸劲抖出：极力向前用整体抖劲打出。

## 第四节　马形回身法

左足在前右转身，右足在前左转身。此势右足在前，左足在后。[①]

转身时，先以右足顺左边向后回扣至左足根后，身势亦同时顺左边向后转面[②]。右手扣成阳拳，右肱仍作半圆形，虎口朝里，向怀中合劲。左足亦随身回转时足尖向前[③]，左手仍作阳拳，扣在胸上，与右膝相顺。身斜步拗，头顶肩扣。目前平视（图27）。谓之马形摇肩伏身势，如第二节一图。再进步换势，如第三节二图。收势归原地休息。（图28）

图27　马形回身三图

图28　马形左转回身路线

注 释

① 此势右足在前，左足在后：下面的转身法假设此时是右足在前、左足在后的马形势。

② 身势亦同时顺左边向后转面：身势也左转180度向后。

③ 左足亦随身回转时足尖向前：左脚也随着转身，以脚后跟为轴外扭调顺。向前，指朝向转身后的前。

# 第五章　鼍形讲义

鼍者，水中物[①]，龙之种，身体最有力，而最灵敏者也。有浮水之能，有翻江倒海之力。取诸身内则为肾，以拳中之性能用其形，外合内顺，练之能消心君浮火，助命门之相火，满肾水，活泼周身之筋络，化身体之拙气、拙力。拳形顺，丹田气足，而真精补还于脑，身轻如鼍之能与水相合一气，而能浮于水面矣。拳形逆，则手足肩胯之劲必拘束，而全身亦必不灵活矣。故曰：

鼍形须知身有灵，拗步之中藏奇精。

安不忘危危自解，与人何事须相争。

正此之谓也。学者，须加以细心研究，方不错谬也。

步法与各形势不同，左足进步着地，右足紧跟，相对两足胫骨相磨[②]，不着地随进[③]。右足着地，左足紧跟，不落地随进。步径斜曲，一步一组。左右进步相同。

**注 释**

① 水中物：生活在水中的动物。

② 相对两足胫骨相磨：相对的两小腿胫骨互相摩擦，即两腿里胫骨相磨。

③ 随进：随即继续进步。

## 第一节　鼍形进步路线

下图内圆圈如○者悬足之表示

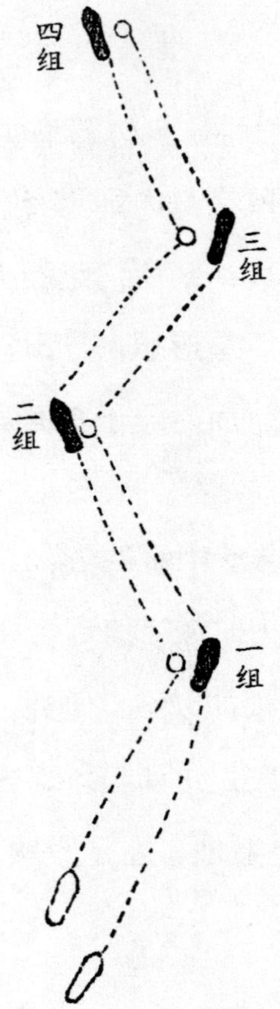


图 29

## 第二节　鼍形右起势

三才势开势[①]，先将左足向前垫步。右手同时向里拧，拧至手心朝上，将中指、小指、无名指三指屈回，只将大指、食指如八字势伸张，[②]从右往左肋上躜[③]，躜至肘与左膝相顺，掌与鼻尖相齐；左手亦同时往回拉[④]，拉至左胯，中指、小指、无名指三指曲回，大指、食指如八字势伸张，成阳掌。头顶身拗，阴阳相合。目视右手食指稍。（图 30）

图 30　鼍形右起势图一

注释

① 三才势开势：由三才势开势。

② 右手同时向里拧……如八字势伸张：右手成八字掌（左手同）。

③ 从右往左肋上躜：从左小臂上钻出。

④ 左手亦同时往回拉：左手从右小臂下拉回。

## 第三节 鼍形右落势

图 31 鼍形右起势图二

前左足、右手出发时，即将右足提起至左足胫骨处，似靠未靠，不可着地。[①]向右斜进步[②]，右手掌亦同时向外拧，横劲斜出[③]至极度，下翻成阳掌，与右膝相顺，手指仍存原势[④]。目视右手食指稍（图31）。演此左右二势，身、肩与腰合成一气，晃开身势，[⑤]如鼍在水中相浮之意。

注 释

① 前左……不可着地：在前面左脚垫步、右手钻出时，就同时将右脚提起到左脚胫骨处，似靠非靠，不可着地。

**按**：这一动属于前面“第二节鼍形右起势”。

② 向右斜进步：（紧接着）右脚向右前方进步。

③ 横劲斜出：横着捋出。

④ 手指仍存原势：仍为八字掌。

**按**：“八字掌”为形意拳随势擒拿的方便法门。

⑤ 身、肩与腰合成一气，晃开身势：起势身左拧，落势身右拧，腰身晃开，左钻右捋全用整劲，活泼妖娆，不可呆滞死板。

## 第四节　鼍形左起势

再演左势。左手从左肋向里拧，拧至手心朝上，顺右肱上躜[①]，成阴掌，与鼻相齐，仍三指拳回，二指伸开，与右膝相顺；右手亦同时撤回，阳掌停在右脐[②]。身势阴阳相合。目视左手食指尖。（图 32）

图 32　鼍形左起势图一

注 释

① 顺右肱上躜：从右小臂上钻出。

② 右脐：当为“右胯”。

## 第五节 鼍形左落势

图 33 鼍形左落势图二

左足进步，与右足胫骨相靠，不着地[①]。再向左边斜着进步落地[②]，左手亦同时向外拧，横劲斜出至极处，下翻成[③]阳掌，与左膝相顺，手仍存原势。身、肩晃开。目视左手食指稍。（图 33）

惟演此形起落二势，手足之分合，两肩之摇动，与腰贯为一气[④]，不可中间隔断。左右互相换势，手足身法均同。数勿拘。



注 释

① 左足进步……不着地：此一动属于前面第四节“鼍形左起势”。

② 再向左边斜着进步落地：再左脚向左前方进步。

③ 下翻成：翻成。

④ 与腰贯为一气：用腰带动，不可自动。

## 第六节　鼍形回身法

左手在前，右转身；右手在前，左转身。转身时，左手伸出、左足落地时，右足不可落地即速极力回返进步，身子随着右足向右转。右手仍横劲斜着出去，左手左足随后跟着[1]（图 34）。亦与左右二势手足身法，起蹧裹翻练习均相同。收势，归原地休息。（图 35）

图 34　鼍形回身法图

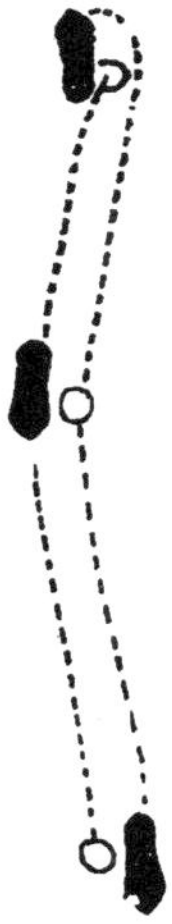

图35　右转回身路线

注 释

① 转身时……随后跟着：参看“右转回身路线”图。

# 第六章　鸡形讲义

鸡者，最有智谋、信勇、灵性之物①也，故晨能报晓。其性虽属禽，而功于陆②。性善斗，斗时皆以智取。口刚而能啄，两腿连环能独立，爪能抓且能蹬。生威抖翎，能腾空。进退无时，往来无定，全身应用随时生能。以拳之应用，力量最大，故取为鸡形③。取诸身内为脾，脾健则五脏充。属土，土生万物，故鸡形之性能有万法。故曰：

将在谋而不在勇，败中取胜逞英雄。

试看鸡斗虚实敏，才知羽化有灵通。

练之形势顺，则脾胃活，有羽化之功。形势逆，则脾衰胃满，五脏失其调和矣。学者宜虚心诚意，格物至致④，始得生化之道焉。

步径曲直，三步一组，无有定势。路线如下图⑤（图 36）。

注 释

① 物：动物。

② 其性虽属禽，而功于陆：（鸡）虽属禽类，却以在地上行走为主。

③ 鸡形：鸡形拳。

④ 格物至致：格物至极致。

⑤ 下图：指第一节“鸡形进步路线”图。

## 第一节　鸡形进步路线

圆圈乃高提足、提膝至心口为度

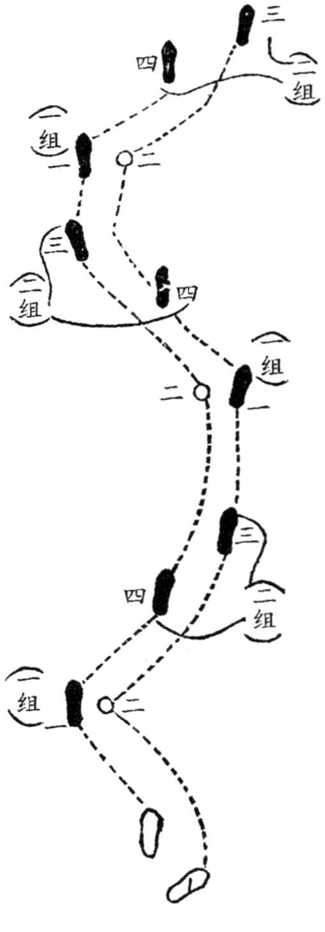


图 36

## 第二节　鸡形右起势

图37　鸡形右起势图一

起首三才势。先将左足斜着向前垫步①。左手同时翻拧成阴掌，向上往左平合，与右肩相顺;②右手亦同时翻成阴掌，向左手腕下伸出，两肱作交叉势。③右腿亦同时提膝上起，拳④至两肘中间，足心向外。两手掌再向左右分开，手心朝前。头颈挺劲，气降身伏，两肩合扣。目视两大指中间。此势谓之金鸡独步。(图37)

注释

① 斜着向前垫步：向左前方垫步。

② 向上往左平合，与右肩相顺：向上向右移至右肩之前。左，应为“右”。合，手、臂横向向中运动为“合”。

③ 以上为第二节第一动，以下提膝屈腿、两掌分开为第二动。

④ 拳：屈。

## 第三节　鸡形右落势

图 38　鸡形右落势图二

换势，右提足向右斜着前进步①，两手同时向前极力分开扑出，如扑物之势。左足亦同时再跟步②。头顶，腰塌，两肘相对。目前③平视。（图 38）

停住，再换势。此势谓之金鸡打脚翅④。

**注　释**

① 右提足向右斜着前进步：提起的右脚向右前方进步，蹬踩而落。前，向前。

② 左足亦同时再跟步：左脚也随之跟进半步。

③ 前：向前。

④ 打脚翅：脚蹬而翅扇，即同时用脚和翅膀打。

## 第四节　鸡形左起势

图 39　鸡形左起势图三

将右足向前斜着垫步。右手同时翻拧成阴掌，向上往左平合，与左肩相顺；左手亦同时翻成阴掌，向右手腕下蹿出，两肱作交叉势。[①]左腿亦同时[②]提膝上起，腿膝屈回在两肘中间，足心向外。两手掌再向左右分开，手心朝前。[③]头颈挺劲，气降[④]身伏[⑤]，两肩合扣。目视两大指中间（图 39）。如右起势图一。

注释

① 将右足向前斜着垫步……作交叉势：以上是第一动，以下是第二动。

② 同时：随后，再。

③ 两手掌再向左右分开，手心朝前：此动与右腿膝脚提同时，合成本节第二动。

④ 气降：气沉丹田。

⑤ 身伏：身下伏。

## 第五节　鸡形左落势

图 40　鸡形左落势图四

换势，左提足向左斜进步，两手同时向前极力扑出，如扑物之势。右足亦同时跟步（图 40）。如右落势二图。

再演，则左右互相换势，手、足、身法与前起势一、落势二相同，次数多寡自便。

图 41　鸡形回身法图五

## 第六节　鸡形右转回身法

左足在前右转身，右足在前左转身。转身时，先将左足返扣步，扣在右足后①；右足提起，足根靠在左足里胫骨，足尖着地。两手同时翻成阴掌，向左右分开，两肱曲伸②，与右肩相平。目向右平视。此势谓之金鸡大抖翅。（图 41）

再进步换势，仍与起势一图、落势二图相同。左右回身变势，皆依此法。[3]收势，归原地休息。（图 42）

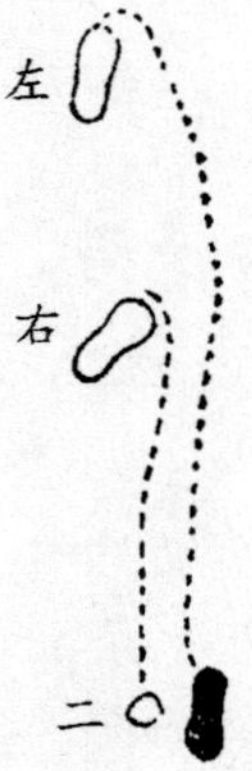


图 42　右转回身路线

注 释

① 右足后：这是指回身后的右脚后边。

② 两肱曲伸：两臂微曲。

③ 左右回身变势，皆依此法：无论左转回身还是右转回身，都照这个方法。

# 第七章　鹞形讲义

鹞者，飞禽中最雄勇灵敏之物。其性能有翻身之巧，入林之奇，展翅之威。束身[①]而捉物，且有蹿天之勇性。取诸身内，能收心脏之气。取之于拳，能舒身缩体[②]，起落翻旋，左右飞腾，外刚内柔，灵巧雄勇，是为鹞子之天性也。形势顺，则能收其先天之祖炁，而上升于天谷泥丸[③]。形势逆，则心努气乖，身体重浊，而不轻灵矣。故曰：

古来鹞飞有翱翔，两翅居然似凤凰。

试观擒捉收放翅，武士才知这势强。

学者于此形最当注意研究，灵光巧妙，方能有得，而终身用之不尽也。步径曲直无定。路线图[④]如下（图 43）。

注 释

① 束身：身往一块儿团凑为束身。

② 舒身缩体：舒缩身体。

③ 天谷泥丸：泥丸宫。“天谷”是泥丸的别名。

④ 路线图：指第一节“鹞形进步路线”图。

## 第一节　鹞形进步路线

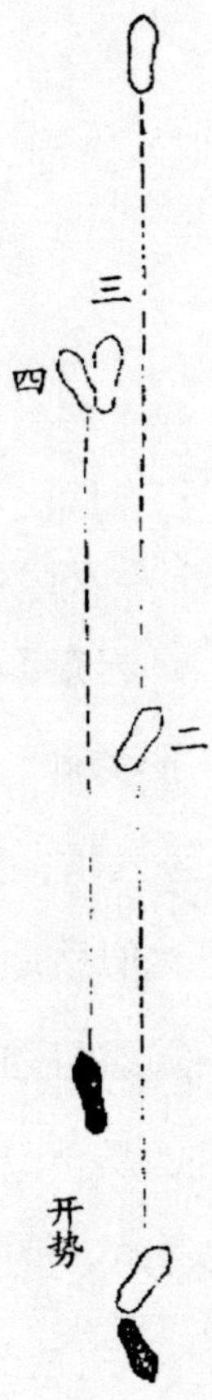


图 43

## 第二节　鹞形右起势

三才势，两足不动，将身向后合，拧劲，拧的左腿斜直。[①]左手亦同时向里合劲，合至手成阴掌至左肩[②]，肘至胸[③]；右手亦同时向外拧劲，拧至手掌向外与右眉相齐。目顺左肩平视。此势名鹞子回头[④]，又谓之鹞子翻身。（图44）

图44　鹞子回首图

注释

① 三才势……左腿斜直：由三才势（即三体势），两脚原地不动，身向后移，且向右拧，拧到左腿斜直。

② 至左肩：到左肩处。

③ 肘至胸：左肘到胸前。

④ 鹞子回头：此势是顺着对方的攻势捋拧对方手臂。

## 第三节　鹞子入林

换势，左足不进，右足尖向外斜横着进步。左右手同时向下合劲，合至两掌相对至脐，向前伸开。[①]右手平脐，左手与鼻齐，两掌相对，两肱直伸。目视左手指尖。此势名为鹞子入林。（图 45）

图 45　鹞子入林图

**注 释**

① 左右手同时……向前伸开：与此同时，左右两手一起向下合拧，合拧至两掌相对，收到肚脐处时，再一齐向前发出。

## 第四节　鹞子捉雀

换势，右足不动，左足向前进步。右手亦同时紧抓成阴拳，向后拉劲①，至右胯停住；左手亦同时向下塌劲②，顺左膝③。头顶，身挺。目平视。此势谓之鹞子入林捉雀。（图46）

图46　鹞子入林捉雀图

注释

① 向后拉劲：向后拉回。

② 向下塌劲：向下塌按。

③ 顺左膝：与左膝相顺。

## 第五节　鹞子抖翎束身势

换势。右足不动，左足稍动[①]，将足尖向外斜横。右手亦同时向后拉劲，拉的胳膊至身后，[②]向上起，似画圆圈形，再向前劈落，此谓之抖翎，落下至左肘下；左手亦同时回拉，俟右手至肘下时，顺身向前抱右肩上[③]。两肩合扣，两肱似捆。目顺右肩平视。此势名为鹞子束身。（图47）

图47　鹞子抖翎束身图





**注 释**

① 左足稍动：左脚稍往前移。

② 右手亦同时……至身后：由上第四节的鹞子捉雀势，身再右拧，右手拉至身右后。

**按**：此动是向前下劈打的蓄势预备，应当在左足前移外横等动作之前。

③ 抱右肩上：抱在右肩上。

## 第六节　鹞子躜天

图 48　鹞子躜天图

换势。左足不动，右足向前进步。左手亦同时向后拉劲至胸前；右手拳亦同时向前上起，躜劲成掌，[1]手心朝下，高与[2]头顶。此势名为鹞子躜天。（图 48）

前一、二、三、四、五势，承上接下，要连环一气演习，总名曰鹞形，分段曰返身、入林、捉雀、躜天，此为右势鹞形。再进步换势，练左势鹞形躜天，与三才势、一、二、三、四、五势之手法、步法均同。左右演习一理[3]，次数多少勿拘。

注释

① 向前上起，躜劲成掌：向前上方起躜变掌（上式为拳）。

② 与：当为“于”。

③ 左右演习一理：左势鹞形与右势鹞形的练习方法、要领是一样的。

## 第七节　鹞子回身法

左足在前右转身，右足在前左转身。转身时[①]，将左足向后转身成直顺[②]，右足亦同转身时[③]，向左足前，足尖向外斜横进步。将右手下落至脐，与左手相对，似[④]右足着地时，双手向前伸开，右手顺脐[⑤]，左手齐鼻，双掌相对，两肱直伸。目视指尖。此势谓之鹞子返身大入林。（图 49）

图 49　鹞子左转回身图

收势仍还于起点处停住休息。（图 50）

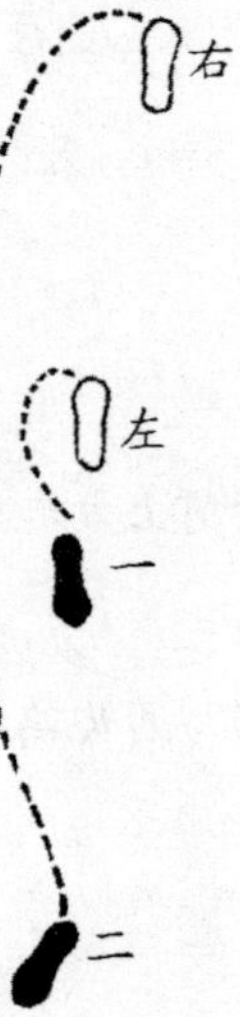


图 50　鹞形返身左转进步线

## 注释

① 转身时：这是左转回身法。

② 将左足向后转身成直顺：左脚随着转身，以脚跟为轴外转135度直顺。直顺，正对正前方，这是回身后的前。

③ 右足亦同转身时：右脚也随着转身。

④ 似：原文“似”误，应作“俟”。

⑤ 顺脐：对脐。

# 第八章　燕形讲义

燕者，禽之最轻妙、最敏捷者也。性有抄水之巧，躜天之能，飞腾高翔之妙，动转无声之奇。取之于拳，而为燕形。取诸身内，则为肝肺。肝主筋，肺主皮毛，且气之机关也[①]。气活则神清，百病不生。气有轻清之像，故拳中燕形生轻妙之灵。形势顺，则筋络舒畅，心内虚空，气顺而有上升下降之能。形势逆，则气拘筋滞，身体重拙，而不灵捷矣。故曰：

一艺求精百倍功，功成云路自然通。

扶摇试看燕取水，才识男儿高士风。

学者于此形，尤当虔心[②]细究。路线一步、二步，如下图[③]（图51）。

注释

① 且气之机关也：且（肺）为气的机关。

② 虔心：诚心。虔，诚。

③ 下图：指第一节“燕形进步路线”图。

## 第一节　燕形进步路线

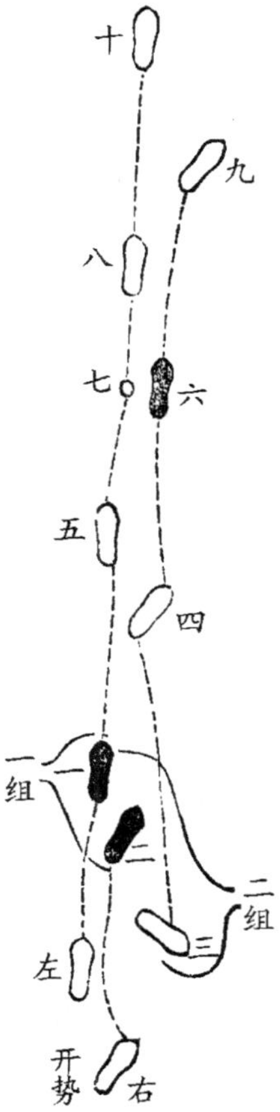


图 51

## 第二节 燕形起势

三才势，先将左足垫步，右足后跟步至左足根后[①]，似崩拳之跟步[②]。右手拳同时[③]虎口朝上，平着向前伸出[④]，与崩拳出手相同；左手停住不回，俟右拳伸至极度，将手扣住右手腕。头顶腰垂。目前[⑤]平视。（图 52）

图 52 燕形一图

注 释

① 三才势……至左足根后：由三才势，先将左脚往前垫步，再右脚从后面跟步至左脚的脚跟后面。

② 似崩拳之跟步：就像崩拳的跟步一样。这是说，跟步要跟得多，定势时两脚前后距离要近。

③ 同时：与跟步同时。

④ 伸出：打出。

⑤ 前：向前。

## 第三节　燕形换势

右足向后倒退一步。右手拳同时向外拧、上起，向回拉至右眉上，拳心朝外。身子随同向回扭劲，扭至小腹放在右大腿根上。[①]左手、左足停住[②]原势不变。目视右拳手背。（图 53）

图 53　燕子返首右抖翎图二

注 释

① 身子随同……右大腿根上：身子随着右手拧转，拧向右后，重心后移至右腿。

② 停住：停在，保持。

## 第四节　燕形换势

两足原地不动。右手拳向里合扣，拳心朝下，顺身下落至胯；左手同时向怀中合劲，合至手心朝上，攥上拳，顺身向前蹪出，高齐左肩①，与左膝相顺。身子随拳蹪时，向前扭劲②。目视左阴拳。此势谓之燕子回身左抖翎。（图 54）

图 54　燕子回身左抖翎图三

再变势：两足存③原势，左手向里合扣，拳心朝下，顺身下落至胯；右手拳同时向怀中合劲，合至拳心朝上，顺身向后往右蹪出，齐肩，顺膝，身子向右扭劲④，谓之燕子右返首。

再抖翎⑤，再变势：右手拳里扣下落，左手拳里合外蹪。身子仍向左扭劲⑥，归原势。

但⑦演燕形，两目随左右手变化之转移。

燕形有左右抖翎之巧，故详细解释，以为学者参考焉。

注 释

① 高齐左肩：高与左肩相齐。

**按**：这是左钻拳，拳与鼻对齐，这里的“高齐左肩”是说左手的大臂。

② 向前扭劲：扭向正前。

③ 存：保存，保持。

④ 身子向右扭劲：身子向右扭向正后方。

**按**：这是回身右钻拳。

⑤ 再抖翎：再左抖翎。

⑥ 身子仍向左扭劲：身子仍向左扭向正前。

**按**：这是左钻拳。这一节有三动：左钻拳（向前），回身右钻拳（向后），左钻拳（向前）。

⑦ 但：但凡，只要。

## 第五节　燕形换势

右足尖向外斜着进步[①]，右手拳同时向里拧至手心朝上，向前顺左肱肘里[②]上躜至极度，阴拳齐额[③]。左手阴拳亦同时退至右肘下。身斜[④]步拗[⑤]，头顶肱曲。目视右手阴拳。此势谓之燕子躜天。（图 55）

图 55　燕子躜天图四

注 释

① 右足尖向外斜着进步：右脚外横着进步。

**按**：脚外横有踩意，踩住则敌不得逃。

② 顺左肱肘里：顺着左肘里侧。

③ 阴拳齐额：拳心朝上，高下额齐。

④ 身斜：身向左拧斜。

⑤ 步拗：两腿拗住。

**按**：此势重心在前腿，后腿膝脚朝里，脚跟欠起，所以说“步拗”。

## 第六节 燕形换势

图56 燕子返首右大拌翎图五

左足向前直着大进步，将腿曲伸[①]。左手拳虎口朝上，同时向前极力伸开[②]至极度，与膝相顺；右手拳亦同时向外拧，往回拉劲，拉至拳心向外，至右眉上停住。身子阴阳相合。目视左手拳。此势谓之燕子返首右大抖翎。（图56）

注释

① 曲伸：微曲着伸出。

② 伸开：打出。

**按**：此势与前势合起来，类似于左顺步炮拳。

## 第七节　燕形换势

右足尖向外斜横着进步，右手同时向后拉，下落半圆形至胯前，将拳伸开，翻成阴掌，[①]极力向前伏身伸开[②]，左手亦同时阳拳退至右肱肘下。身曲伏，腿拧拗，左足根欠起，目视右阴手掌中。此势谓之燕子抄水。（图 57）

图 57　燕子抄水图六

注释

① 右手同时……翻成阴掌：右拳绕后半圆弧下落至右胯处变为阴掌（即掌心向上，掌指朝前）。

**按**：这一动是预备动作，应当在右脚进步之前。

② 极力向前伏身伸开：极力伏身向前下插去。

**按**：这叫“掖掌”。

## 第八节　燕形换势

图 58　燕子束身图七

两足不动。右手攥上拳，向外拧，往后拉劲，拉至右眉上；左手拳同时向右拳手腕外蹿出，两拳成十字势，两拳手心皆朝外。目前平视。此势谓之燕子束身。（图 58）

## 第九节　燕形换势

右足不动，将腿曲立；[①]左足进步提起，足掌紧靠右腿中曲[②]。两手拳同时向左右分开成阳掌，顺肩平乳[③]。头顶劲，身半斜势[④]，目前平视，势[⑤]谓之燕子大展翅。（图 59）

图 59　燕子大展翅图八

**注 释**

① 右足不动，将腿曲立：重心前移，右脚原地不动，将右腿弯曲着起立。

② 右腿中曲：右小腿中部弯曲处。

③ 顺肩平乳：与肩相顺，与乳相平。

④ 身半斜势：身半向右斜。

⑤ 势：此势。

## 第十节　燕形换势

左提足先向前进步，右足尖向外斜横着进步[①]。右手掌攥上拳，同时[②]往前，虎口朝上，平着极力直伸，如打崩拳势；左肱不拳回[③]，将手扣着右拳手腕上。身斜腿拗。目平视。此势谓之燕子束翅。（图 60）

图 60　燕子束翅图九

**注 释**

① 左提足……横着进步：左脚先向前垫落，再右脚外横着进到左脚前。

② 同时：与右脚进步同时。

③ 拳回：屈回。拳，通“蜷”。

## 第十一节　燕形换势

图 61　燕形势终十图

左足向前进步[①]，左手同时向前直进伸开[②]，成半阴阳掌；右手往回拉至右胯，阳掌停住。目视左手食指稍。谓之燕形右起势终。（图 61）

再演左势燕形。仍以三才势起首，再进步换势，手足身法，互相联络，仍与右势燕形相同。惟练此形各节，上下要连环，贯为一气，不可断隔，方得其真意。

注 释

① 左足向前进步：再左脚进到右脚前。

② 向前直进伸开：向前塌按。

## 第十二节　燕形回身法

左足在前右转身，右足在前左转身。回势皆以鹰捉势为法。收势归原地休息。（图 62）

图 62　右转回身进步路线

# 第九章　蛇形讲义

蛇者，最灵活之物也。其性能，有拨草之巧，有缠绕之能，屈伸自如，首尾相应，故古时有长蛇阵之法。取诸身内，为肾之阳。用之于拳，能活动腰力，通一身之骨节，故击首则尾应，击尾则首应，击身则首尾相应。[①]其身有阴阳相摩之意。因蛇之灵活自如，故拳之命名为蛇形。练之形势顺，则能起真精补还于脑，而神经充实，百疾不生。形势逆，则身体亦不灵活，心窍亦不开朗，反为拙气所束滞矣。故曰：

从来顺理自成章，拨草能行逞刚强。

蛇形寄语人学会，水中翻浪细思量。

学者于此形当勉力求之，灵光巧妙得之于身心[②]，则终身用之不尽也。步经曲直[③]，两步一组。图如下[④]（图 63）。

注释

① 故击首……首尾相应：击其头则用尾还击，击其尾则用头还击，击其身则首尾还击。

**按**：出自《孙子兵法·九地》第十一："故善用兵者，譬如率然。率然者，常山之蛇也，击其首则尾至，击其尾则首至，击其中则首尾俱至。"

② 灵光巧妙得之于身心：将蛇的灵光巧妙得之于我的身心。

③ 步经曲直：步法路线有曲有直。经，当为"径"。

④ 图如下：指第一节"蛇形进步路线"图。

## 第一节　蛇形进步路线

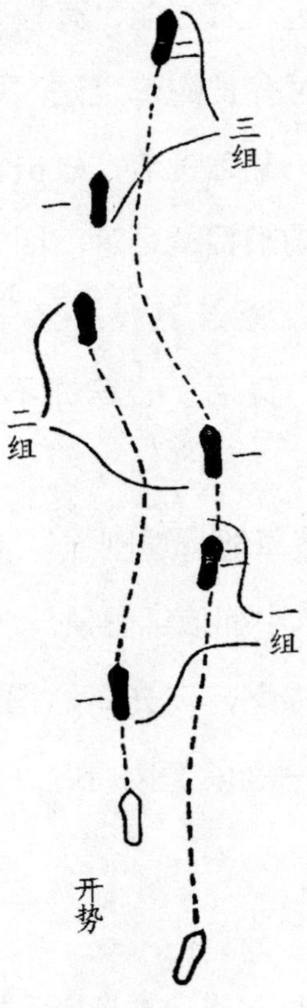


图 63

## 第二节　蛇形右起势

图 64　白蛇吐舌右起势一图

三才势，先将左足尖向外稍进步[①]。右手亦同足进时向里扭，扭成阴掌，顺左手腕里伸开[②]，与左膝相顺；左手亦同时向后拉至右肱肘下，手心朝肘。身子阴阳相合，形势左肩右膝[③]。目视右手中指。为白蛇吐舌。（图 64）

注释

① 三才势，先将左足尖向外稍进步：由三才势，先左足外横着稍稍向前垫步。

② 伸开：伸出。

③ 左肩右膝：当为“右肩左膝”，即右肩左膝在前。

## 第三节 白蛇缩身

图65 白蛇缩身二图

两足不动。右手向下合抱至左胯，左手亦同时向右肱里上穿[①]，抱住右肩[②]，两肱相抱，两肩相扣。目顺右肩平视。此势谓之白蛇缩身，又名蟠身。（图65）

注释

① 向右肱里上穿：从右臂里侧向上穿出。

② 抱住右肩：（左手穿至右肩处）掌心对着右肩。

图66 白蛇抖身三图

## 第四节 换 势

换势：左足稍动，右足向右斜前进步[①]。右手亦同足进时向外往上抖开[②]，手半阴半阳，势顺右膝[③]；左手亦同时向后拉劲至左胯，手心朝下。头顶，身挺，两肱抖力[④]。目视右手大指尖。此势谓之白蛇抖身。（图66）

以上之一二三势，承上接下，连环一气演习，不可中间隔断。

再练左势，仍与右势一、二、三势手法、步法均相同，数勿拘。左右换势均同。

**注 释**

① 右足向右斜前进步：右脚向右前方进步。

② 右手亦同足进时向外往上抖开：右手也在右脚进步的同时向外向上抖出。

③ 势顺右膝：右手臂与右膝相顺。

④ 两肱抖力：两手臂对挣，用腰、腿、丹田整劲抖开。

## 第五节 回身法

图 67 白蛇返身吐舌图

左足在前右转身，右足在前左转身。转身时[①]，前足回扣步，后足尖向外斜横进步。[②]左手亦同转身时[③]，向里合劲，阴掌顺身向前伸出；右手随转身时，顺身向左肱里[④]往前伸开，手要阴掌；左手似[⑤]右手前伸时，顺右肱回拉至右肘。身子阴阳相合。目视前手掌。此势谓之白蛇返身大吐舌。（图 67）

再进步换势，仍与前势相同。收

势仍还于原起点地。收势休息。（图 68）

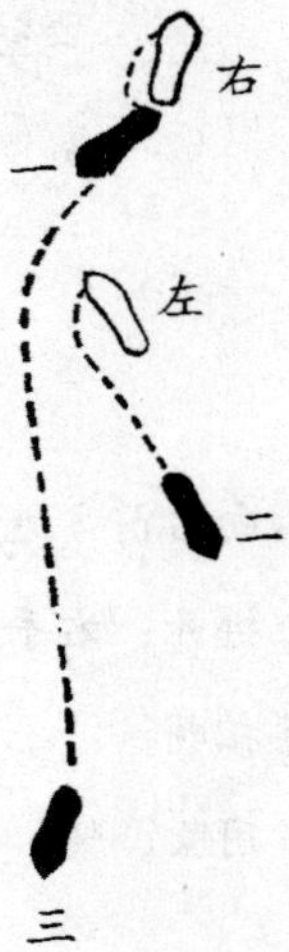


图 68　左转回身进步路线

注 释

① 转身时：这是左转回身。

② 前足回扣步，后足尖向外斜横进步：前右脚随左转身往回扣步，再后左脚外横着向前进步（此时的“前”为转身后的“前”）。

③ 同转身时：在转身同时。

④ 向左肱里：从左臂里侧。

⑤ 似：当为“俟”，等待。

# 第十章　鹘形[1]讲义

鹘者，性最直率而无弯曲灵巧之禽也。天性有竖尾上升，超达云际之势。下落两掌有触物之形[2]。取诸于身内，而能平肝益肺，实为肝肺之股肱[3]，故以拳形其像[4]，一落一起，如雷奔电；以尾之能，如迅疾风变。以性情言之，外猛内柔，有不可言喻之巧力也。形势顺，则舒肝固气，实复[5]而生道心。形势逆，不特全身淤滞，而气亦不通矣。故曰：

鹘形求精百倍明，鹘凭收尾得彻灵[6]。

放他兔走几处远，起落[7]就教性命倾。

所以学者明晰斯理，真道得矣。路径斜，三步一组。图如下[8]（图69）。

**注释**

① 鹘形：现通称为"鲐形"。

② 下落两掌有触物之形：有落到地上用两翅合击猎物的动作。

③ 股肱：腿和胳膊，这里是"保卫者"的意思。

④ 故以拳形其像：所以用拳术动作模仿它的形象。形，摹似。像，形象。

⑤ 实复：应为“实腹”，即虚心实腹。

⑥ 鹘凭收尾得彻灵：鹘（鲐）在用两个翅膀合击野兔时，臀尾往前收，腹部一紧，用整劲合击。这是一种通透的灵性。

⑦ 起落：翅膀一起一落。

⑧ 图如下：指第一节“进步路线”图。

第一节　进步路线

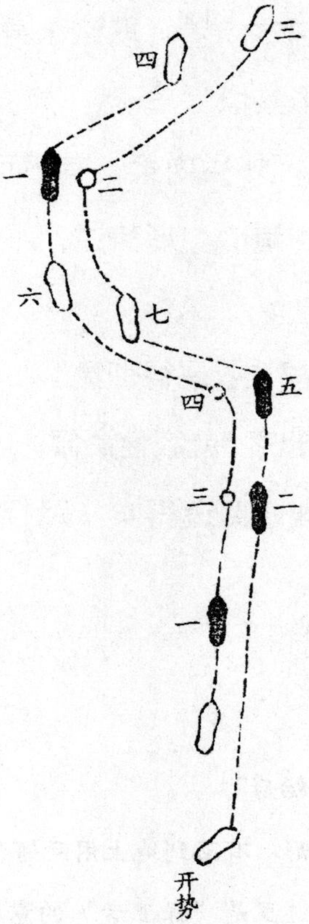


图 69

## 第二节　鹘形开势

图 70　鹘形开势图一

开首三才势。先将右手前伸，与左手相齐，往前向下斜着伸直。左足同时垫步，右足极力向前大进步，左足亦同时再跟步提起，足尖点地，紧靠右足里胫骨。左右两手同时攥上拳，俟右足进、左足提跟时，向怀中合抱至脐，翻成阴拳，左拳在右拳之上，紧靠脐根。两肘加肋①，头顶腰塌，舌卷气垂。目前平视。（图 70）

注　释

① 两肘加肋：两肘加于肋上，即两肘夹肋。

**按**：鹘（骀）形开势与炮拳开势相同。

## 第三节　鹘形左起势

右足向前垫步，左足同时提跟，靠右足胫骨。两拳合抱，手心朝里①，从胸往上蹿至头正额处，将手腕分②向外拧，拧至拳心向外，两

拳相对停在太阳穴前，相距太阳穴约二三寸远近。腰下塌劲[3]。目向左平视[4]。（图 71）

图 71　鹘形左起势图二

注 释

① 朝里：朝胸腹。

② 分：分别。

③ 腰下塌劲：腰往下塌住。

④ 目向左平视：此势在右脚一落步时，头身要随左脚的跟提扭向左前方。

## 第四节　鹘形右[1]落势

换势。左足向左斜着进步[2]。两手拳同时从额处向左右分开往下落，如同画圆圈势至脐，拳心朝上。两肘相对往前伸出分开。[3]右足亦同时再跟步（图 72），如虎形之跟步同。

图 72　鹘形左落势图三

**注　释**

① 右：应为“左”，以图上说明为准。

② 左足向左斜着进步：左脚向左前方进步。

③ 两手拳……伸出分开：两拳先外开下落至肚脐处，再随着左脚进步一齐向前打出。

## 第五节　鹘形左[1]起势

将左足向前垫步。两手拳心同时向怀中合抱[2]，顺身[3]往上蹿至头正额处，手腕分[4]向外拧，拧至拳心朝外，两拳相对，仍停太阳穴前，距太阳穴约二三寸。右足亦同时跟步提起，靠左足胫骨。目向右边平视[5]（图 73）。如左起势二图。

图 73　鹘形右起势图一

再进步换势，如左落势三图。再演，左右互相换势，手、足、身法均相同。数勿拘。

注 释

① 左：应为“右”，图上说明正确。

② 两手拳心同时向怀中合抱：与左脚进步的同时，两拳向怀中合抱，拳心向里。

③ 顺身：沿着身前中线。

④ 分：分别。

⑤ 目向右边平视：此势身向右前方扭转，眼随看右前。

## 第六节　鹘形左转回身法

左足在前右转身，右足在前左转身。转身时，右足尖向左足旁后①进步，左足同时跟步②提起靠胫骨。两手拳随转身时，仍起至头正额处太阳穴前。（图 74）

再进步左右换势，回身发手，皆依此类推。（图 75）

图 74　鹘形左转回身图

图 75　左转路线

注释

① 旁后：左后方（转身前的）。

② 跟步：随着转身跟步。

# 第十一章　鹰形讲义

鹰者，为禽中最猛、最狠之禽也。其性瞥目能见细微之物，放爪能有攫获之精。其性外阳内阴。取之身内，能起肾中真阳，穿关透体，补还于脑。形之于拳，能仰[①]心火、滋肾水。形势顺，则真精化炁，通任开督[②]，流通百脉，灌溉三田，驱逐一身百窍之阴邪，涤荡百脉之浊秽。形势逆，则肾水失调，阴火上升，目生云翳矣。故曰：

英雄处世不骄矜，遇便何妨一学鹰[③]。

最是九秋鹰得意，擒完郊兔[④]便起生[⑤]。

学者于此形加意焉。

步径直，一步一组。如下图[⑥]（图76）。

注释

① 仰：应为“抑”。

② 通任开督：打通任脉和督脉。

③ 一学鹰：学一次鹰。

④ 郊兔：应为“狡兔”。

⑤ 起生：应为“起升”。

⑥ 下图：指第一节“鹰形进步路线”图。

## 第一节　鹰形进步路线

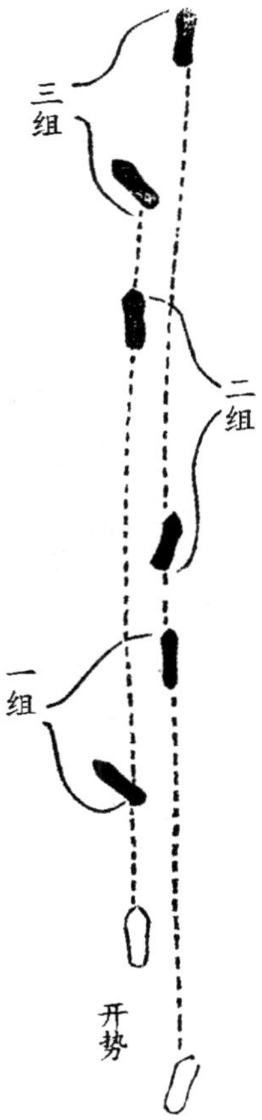


图 76

## 第二节　鹰形左起势

开首三才势。先将左手向回抓劲，将至脐下翻成阴拳；右手亦抓紧攥成阳拳，停在右脐旁。左足再向前斜横着进步着地①，左手拳手心朝上，亦同时顺身②向前上蹬直伸，伸至与鼻相齐，与左膝相顺。头顶身挺，肩扣③气垂④。目视左手阴拳小指中节。（图 77）

图 77　鹰形左起势图一

注释

① 左足再向前斜横着进步着地：再左脚向前进步，向外横着着地。

② 顺身：顺着身前中线。

③ 肩扣：两肩往前微扣。

④ 气垂：气垂丹田。

## 第三节　鹰形右落势

图 78　鹰形右落势图二

换势：左足不动，右足向前进步。右手拳同进步时[①]，向里拧劲，劲[②]至手心朝上，从胸上蹿，顺左肱肘里往前直伸，至极处，翻扣成半阴阳掌，与心口相平[③]，并与右膝相顺；左手亦同时顺右肱[④]向回拉劲，至脐紧靠。两肩里扣、松开，头顶身挺，舌卷气垂。目视右手食指稍。（图 78）

此左右两势[⑤]，承上接下，要合成一气[⑥]练习。再演，手、足、身法，仍与起势一、落势二相同，数勿拘。

**注释**

① 同进步时：与进步同时。

② 劲：据原稿“勘误表”，“劲”当作“拧”。

③ 与心口相平：再向下抓按至与心口相平。

④ 顺右肱：从右臂下面，顺着右臂。

⑤ 此左右两势：以上左起、右落两势。

⑥ 合成一气：合成一个整体动作。

## 第四节　鹰形回身法

左足在前右转身，右足在前左转身。转身时[①]，左足回扣成斜横[②]，右足随进仍斜顺[③]。左手同时下落抓成拳，至脐翻成阴拳。右手亦同时攥上拳，向里拧劲，成阴拳[④]，顺身往前上蹿直伸，高与鼻齐。[⑤]目视小指中节。（图 79）

再进步换势，仍与前势相同。收势归原地休息。（图 80）

图 79　鹰形右转回身图

图 80　右转回身路线

**注释**

① 转身时：这是右转回身法。

② 左足回扣成斜横：随着右后转身，左脚原地以脚后跟为轴里扣 135 度成

外横（转身后的外横）。

③ 右足随进仍斜顺：右脚随即先以脚跟为轴外转 135 度成顺脚（转身后的顺），再接着进步，外横落地。

④ 左手同时……成阴拳：此动应当在转身之前。

⑤ 顺身往前上蹿直伸，高与鼻齐：此动在转身后，与右脚进步同时。

**按**：附图错误，本节附图“鹰形右转回身图”与鹘（鲐）形第六节“鹘形左转回身图”错置。

# 第十二章　熊形讲义

熊者，物[①]之最钝笨者也，性直[②]不屈，而力最猛。其形极威，外阴而内阳[③]。取之身内，能助脾中真阴，消化饮食，透关健体，使阴气下降，补还丹田。形之于拳，有竖项之力，斗虎之猛。如与鹰形相合演之，气之上升而为阳，气之下降而为阴，谓之阴阳相摩，亦谓之鹰熊斗志。[④]总之不过一气之伸缩。前编龙形、虎形单演[⑤]为开，此二形并习[⑥]为合。故曰：

行行[⑦]出洞老熊形，为要放心胜不仲[⑧]。

得来只争斯一点[⑨]，真情寄语有人情[⑩]。

学者明了十二形开合之理，可以入道修德矣。



注释

① 物：动物。

② 直：刚直。

③ 外阴而内阳：外表形象动作是阴性的，而内部精神意气是阳性的。

④ 如与鹰形……鹰熊斗志：（熊形）如果与鹰形合在一起演练，鹰形之气

沿背部督脉上升而为阳升，熊形之气沿任脉下降而为阴降，叫作阴阳互相摩荡，也叫作鹰熊斗志（谐音“英雄斗志”）。

⑤ 单演：分开演习。

⑥ 并习：合起来演习。

⑦ 行行：音 háng，也写作“恒恒”，威武貌。

⑧ 为要放心胜不仲：为了要防护自己的心脏部位，两只胳膊克制着不伸直。放，应为“防”。仲，应为“伸”。胜，克制。

**按**：这是说熊像人一样站起来搏斗时的情况。

⑨ 得来只争斯一点：胜与败只在于这一点的争夺。来，应为“丧”。得丧，得失，即胜败。斯一点，这一点。

**按**：形意拳的熊形取像于狗熊，即黑熊。狗熊的胸部心脏部位有一个白点，形如月牙，熊在打斗时沉肩垂肘，特别注意保护这一位置。

⑩ 有人情：应为“有情人”。

## 第一节　熊形进步路线

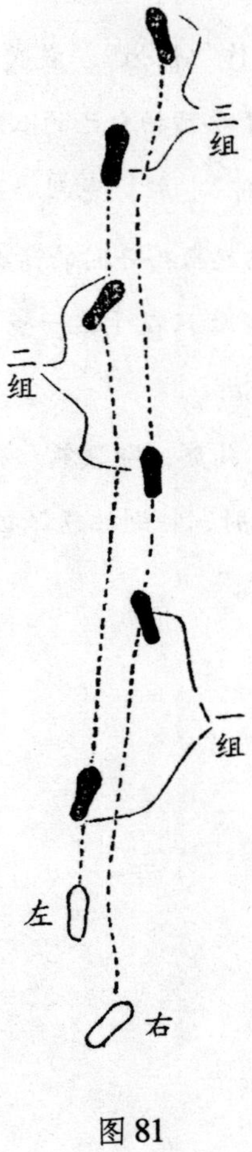


图 81

## 第二节　鹰熊合演右起势

图 82　鹰熊合演右起势图一

开首三才势。先将左足向前垫步。右手同时攥上拳，向里拧至手心朝上，从右肋顺心口极力向上躜，躜成阴拳伸开，高与鼻齐，与左膝相顺；左手亦同时攥上拳，向回拉至左胯，阳拳紧靠。身拗[①]步顺[②]，项上直竖[③]，两肩扣，肱曲伸。目视右手阴拳小指中节。（图 82）

注 释

① 身拗：异侧手足在前，身体侧拧为“身拗”。

② 步顺：前左脚左膝都朝正前，两腿没有“拗”住，所以说“步顺”。注意此势前左脚不外横。

③ 项上直竖：即竖项。项，颈的后部。



## 第三节　鹰熊合演右落势

换势。右足尖向里合，斜着往前进步落地。[①]左手拳同时向里拧至手心朝上，从胸顺右肱里[2]往前伸出，伸至极处下翻成阳掌[3]，与右膝相顺，离膝前四五寸之远；右手拳亦同时下扣成掌，向回拉至右胯，阳掌停住。左足根再同时欠起，足尖点地。两膝相扣，身子阴阳相合，腰下塌劲，左手右足相顺。目视左手食指稍。（图 83）

图 83　鹰熊合演右落图二

注 释

① 右足尖向里合，斜着往前进步落地：右脚往右前方进步，微里扣落地（见路线图）。

② 右肱里：右臂里侧。

③ 伸至极处下翻成阳掌：先上钻至右手前上方，再向右前下翻按成阳掌。

## 第四节　鹰熊合演左起势

换势。右足向前垫步。两手同时攥上拳，左手拳向回下捋至脐[①]，再顺身向上往前阴拳伸出[②]，与鼻相齐，与右膝相顺；右手翻成阴拳，仍停右肋[③]。头上顶，目视左手阴拳小指中节。(图 84)

图 84　鹰熊合演左起势图

注 释

① 左手拳向回下捋至脐：左拳往回下捋至肚脐处。

**按**：这是第一动，在右足垫步之前。

② 再顺身向上往前阴拳伸出：这是第二动，与右足垫步同时。

③ 右手翻成阴拳，仍停右肋：这属于第一动，与左手回捋同时。

## 第五节　鹰熊合演左落势

再换势，左足向里合住，前斜着进步落地[1]。右手阴拳同足进时，从胸顺左肱往前极力伸开，至极处下翻成阳掌，[2]与左膝相顺，与左足相齐，左手阴拳亦同时下扣，向回拉至左胯，阳掌停住。右足根亦再欠起，两膝里扣，身子阴阳相合，颈项直竖，腰下垂劲。目视右手食指稍。再演，仍与左右两势手、足、身法相同，数勿拘[3]。（图85）

图85　鹰熊合演左落势图二

**注释**

① 左足向里合住，前斜着进步落地：左脚向左前方进步，微里扣落地。

② 右手阴拳……翻成阳掌：右手的阴拳在左脚进步的同时，从胸前正中顺着左手臂的里侧上钻至左手前上方，再向左前下翻按成阳掌。

③ 数勿拘：次数不要拘泥。

## 第六节　鹰熊合演回身法

左足在前右转身，右足在前左转身。转身时，先将右足尖向外扭劲[①]，左足同时向右足后前进步[②]。右手搂回[③]，同时向里拧，拧成阴拳，从胸上蹭齐鼻[④]，仍与左膝相顺。左手攥上拳，仍停左胯。[⑤]目上视右手阴拳。腰下[⑥]垂劲。再进步换势，仍与前落势相同，收势归原地休息。（图 86、图 87）

图 86　鹰熊合演回身法

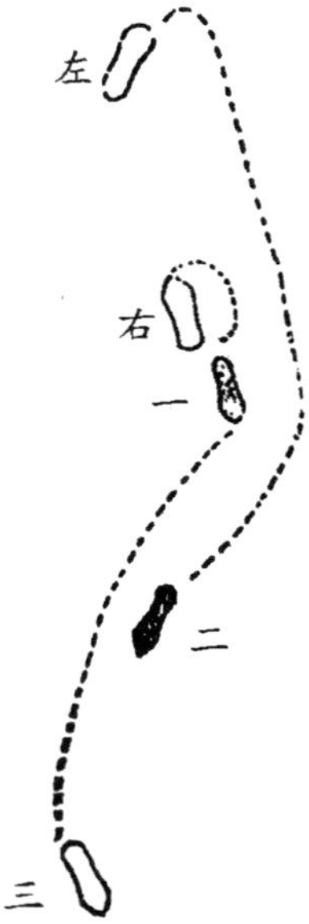


图 87　右转回身进步路线

注 释

① 先将右足尖向外扭劲：先将右脚以脚尖为轴，随右转身外扭约 135 度。

**按**：这是第一动。

② 左足同时向右足后前进步：再左脚向右脚的后面进步，里扭约 180 度落地。右足后，指转身前的右脚后面。前进步，向前进步，这个“前”是指转身后的“前”。

③ 右手搂回：这属于第一动，与右足尖外扭同步。

④ 从胸上蹿齐鼻：（右手再）从胸前正中向上钻至与鼻相齐。

**按**：这是第二动。

⑤ 左手攥上拳，仍停左胯：左手握成拳，仍停在左胯处。

**按**：这也属于第一动，与右足尖外扭同步。

⑥ 下：向下，往下。

附

# 少林内功秘傳

# 序

易筋经为少林武术祖师达摩禅[①]所传授，分内、外两经。内经主柔，以静坐运气为事。非少林正宗子弟，不得其传；且擅此者，亦不肯轻易授人，守少林戒也[②]。后之练武者，欲自衒[③]耀，往往皆以十二段锦之法化之，以其段数相同，法则相类[④]也。其实十二段锦自十二段锦，易筋经自易筋经，两经可互而不可尽混者也。[⑤]至于外经，则主刚，以强筋练力为事。其法遍传于世，唯真本亦殊不多遘[⑥]。坊间俗本，所载各段，节数虽相同，其法实大有出入。欲觅一完善之本，不可得也。

大抵此法盛行于北方。兹编各法，乃得之于山西药商邹仲达君之秘授。据云为少林山陕支派之真传，较寻常坊本为胜[⑦]也。法偏重于上肢，实为练力运气、舒展筋脉之妙法。每日勤行四五次，百日之后，则食量增加，筋骨舒畅，百病不生；至一二年后，则非但身体强健，精神饱满，且两臂之力，可举千斤。即为平素孱[⑧]弱多病，力不足以缚雏[⑨]者，练习一二年，亦可以一扫其孱弱，两臂增加数百斤之力。至若老年之人，精气已衰，勤习此法，虽不足以返老还童，亦足以延年却病[10]。江右[11]老人程明志，年已八旬，精神犹如壮年，日徒步三十里不为苦。尝为余曰："予气体素弱，中年多病。从[12]友人之言，勤习易筋后，不久即康健。四十年中。从未为病魔所扰。今犹能强健步者，谓非易筋经之功乎?[13]"观乎老人之言，则此法之效力，可以知之矣。

兹特将前后两经练法绘图列说，印行于世，以公同好，且为坊间俗本一证其讹[14]。

偶庵[15]识

注 释

① 达摩禅：原稿脱一"师"字。达摩禅师，即菩提达摩（？—528年或536年），南印度人，中国佛教禅宗创始人。曾住嵩山少林寺。传说曾在少林寺面壁打坐九年。

② 守少林戒也：这是在守少林的戒约、戒条。

③ 衒：音 xuàn，炫的异体字，后同。

④ 类：类似。

⑤ 其实十二段锦……不可尽混者也：其实，十二段锦自是十二段锦，易筋经自是易筋经，是可以互相参证而不可完全混淆的两种功夫。

⑥ 殊不多遘：很难遇见。遘，音 gòu，遭遇。

⑦ 胜：优。

⑧ 孱：音 chán，懦弱，弱小。

⑨ 缚雏：捆小鸡。雏，音 chú，小鸡。

⑩ 却病：防病，使病退却。

⑪ 江右：泛指长江下游以西地区，后也称江西省为江右，此处所指不详。

⑫ 从：听从。

⑬ 今犹能强健步者，谓非易筋经之功乎：现在（八十多岁）还能健步行走，你说这不是易筋经的功效吗?

⑭ 且为坊间俗本一证其讹：且一并证明坊间的各种俗本上的讹误。讹，音é，错误。

⑮ 倜庵：金倜庵，民国时人，曾编著多种武功著作行世。

# 少林内功秘传目次

# 弁言[①]

先强健体魄，而后易收明心见性之功也。自此少林武术遂成一派，时在梁隋之际也。及乎宋代，武当道士张三丰，修真养气，而得神传之秘。应召入京，途中遇寇，一夜之间，以单丁杀贼百余人。其武术亦为世所推重，从游以求其技者，亦颇众多。至是武术除少林一派之外，又增一武当派矣。[②]故今之学武术者，不出于少林，即出于武当。顾少林之术，似属于刚，专注意于力之作用；而武当之术，如太极、八卦等拳法，皆以柔胜，纯任自然，而专注意于气之作用。因此，世人又强指少林为外家功夫，以武当为内家功夫，殊不知内功、外功之分别，并不在于两家之宗派也。刚柔寓阴阳之理，刚属阳而柔属阴，阴阳相济，始可孕育化生。独阴不生，孤阳不长，此一定不易之理也。于万物皆如此，而谓于武术一道，反能越出此理乎?[③]少林派之武术，显刚隐柔，即所谓寓柔于刚者是也，故亦可以鼓气以御敌；武当派之武术，显柔隐刚，即所谓寓刚于柔者是也，故可以鼓气以击人，因皆刚柔相济，阴阳相生之法。[④]若谓少林有刚而无柔，武当有柔而不刚，则我实未见其可也。唯因此而宗派出矣。宗派既分，门户斯立。[5]如同学于少林门下之人，因师父之不同，而手法稍异，则必号于众曰："我师何人也，我之所学某家之行派[6]。"甚有一知半解之徒，略习皮毛，即变更成法，专取悦目，而自鸣得意，自立门户，以期衒耀于世，此于少林、武当二派之外，又有所谓某家拳、某家刀拳[7]，但一究其实，则其本源要不出二派也。至于内外功夫，二派中本皆有之，唯后人门户之见太深，凡学少林派者，则指武当为柔术，而不言其外功；学武当派者，则指少林为外功，而不言其内功，积久而此种见解随成为学武者之通病矣。今试执[8]一略知武术者而询其内功之源流，则彼必猝然而对[9]曰："是出于道家，而武当实其嚆矢[10]。"若语少林内功，彼必嗤为妄言，而必不肯信。斯非过甚之言也！[11]世间万事，只要门户之见一深，即易发生此弊，固不仅武术然也。即以文事喻之：孔孟[12]之徒，必斥杨墨[13]；而杨墨之徒，必非孔孟。其实孔孟之学，固足为法；而杨墨之学，亦有可取。其所以不能相容，而互相排斥者，门户之见深也。故予谓欲集各家之长，必先破门户之见而后可。若斤斤于此，势成冰炭，无融合之余地，则两派之长，固可保持，欲熔冶一炉，而推阐演进，以求其最精奥之武术，必不能也。且犹有说者，武当祖师张三丰之武术，亦从少林派中得来，且有谓张实出于少林之门。此说虽无可征信，不足为据，而明代著名之武当派武术家如张松溪等，其初固皆从少林派学，后始转入武当门下者。由此以观，则两派固可相容，而不必互相排斥者矣。其实少林派中各种功夫，并非完全为外功，亦自有内功在。易筋、洗髓二经，所列各法，而能称之为外功乎？更进一步言之，道家练气而讲胎息，佛家养气而讲禅定，我人试就此胎息与禅定二事，而究其妙用之所在，其理果有所异乎？一则心中念念在道，一则心中念念在佛，表面虽微有不同，实际则互相吻合，此所谓殊途同归者是矣。予不揣鄙陋[14]，而有此少林内功之编，非必欲苟异于人，而强[15]别于武当派之内功，实因少林亦固有其内功，以世人忽视而不传，甚为可惜，故不厌词费而述之，使世之学武者知少林亦非专以外功见长也。更愿学武者皆平心静气，破除门户之见，将两派之内功，互相参证，而求融合发明之道。使[16]达至高无上之域，则强种强国，固可于此中求之，而益寿引年之机，亦寄于此焉。须知内功入手极难，不似外功之举手投足及拔钉插沙之简易。但练成之后，虽不能白日飞升，然身强力健，上寿可期，愿学者毋畏其难而却[17]步也。

## 注释

① 弁言：弁，音 biàn，古代的一种帽子，于是把书籍冠于卷首相当于前言或序文的文字叫作弁言。

② 自此少林……武当派矣：这几句的意思是说，自从在梁朝和隋朝之间，少林武术成为一派，再到宋代张三丰的武术成为一派，到这时，武术形成了少林和武当两大派。

③ 刚柔寓阴阳……此理乎：这几句是说，刚柔里面包含着阴阳之理，刚属于阳性，柔属于阴性，阴阳互相配合，才能进行孕育和化生。只有单方面的阴或者阳都不能生成和长育，这是一定不变的道理。对于万物都是如此，难道说对于武术，反而能越出此理吗？寓，寄住。济，帮助。易，改变。

④ 少林派……相生之法：少林派的武术，显示刚而隐藏了柔，这就是所说

的寓柔于刚的武术，但它本来也是可以用柔劲进行防御的；武当派的武术，显示出柔而隐藏了刚，这就是所说的寓刚于柔的武术，但它本来也是能够用刚劲进行攻击的。因为它们都是刚柔相济，阴阳相生的。

⑤ 宗派既分，门户斯立：分了宗派之后，各家的门户就立起来了。斯，乃、就。

⑥ 行派：相当于“门派”。行，音 háng。

⑦ 某家刀拳：原文如此，“刀拳”何意待考。“拳”字疑为误植冗字，可作“某家刀”理解。

⑧ 执：抓住。

⑨ 对：对答。

⑩ 嚆矢：本为响箭。发射时声比箭先到，因而用来比喻事物的开端，这里犹如说“先声”。嚆，音 hāo。

⑪ 斯非过甚之言也：这不是很过分的话吗？

⑫ 孔孟：孔子与孟子。

⑬ 杨墨：杨子（杨朱）与墨子（墨翟）。

⑭ 不揣鄙陋：不估量自己的鄙陋。揣，音 chuǎi，量度，引申为估量、猜度。

⑮ 强：勉强，强行。

⑯ 使：假使，假如。

⑰ 却：退却，停止。

# 内功与外功之区别

凡练习武事之人，除各种拳法之外，必兼练一二种功夫以辅其不足。盖以拳法为临敌时动作之法则，而功夫则为制敌取胜之根本。若练就功夫而不谙拳法，应敌时虽不免为人所乘，其吃亏尚小；若单知拳法而不习功夫，则动作虽灵敏，要不足以制人，结果必大吃其亏。故有“打拳不练功，到老一场空”之谚，此功夫之不可不练也[①]。功夫之种类，亦繁复众多，不遑枚举[②]，然就大体区分之，则不出乎两种，即外功与内功是也。外功则专练刚劲，如打马鞍、铁臂膊等。制人则有余，而自卫则不足。内功则专练柔劲，如易筋经、捶练等法，皆行气入膜，以充实其全体。虽不足以制人，而练至炉火纯青之境，非但拳打脚踢不能损伤其毫发，即刀劈剑刺，亦不能稍受伤害。依此而论，则内功之优于外功，固不待智者而后知也。且练习武术之人，本以强健体魄、却病延年为本旨，学之兼以防毒蛇猛兽之侵凌及盗贼意外等患害，非所以教人尚[③]攻杀斗狠者也。故涵虚禅师之言曰：“学武技者，尚德不尚力，重守不重攻。唯守斯静，静是生机；唯攻乃动，动是死机[④]。”练外功者，劈击点刺，念念在于制人，是重于攻。

若守，则此等功夫，完全失其效用。攻则非但足以杀人，亦且足以自杀，故谓之死机。练内功者，运气充体，如筑壁垒，念念在于自保。他人来攻，即有功夫兵刀[5]，皆不足以伤我。我亦处之泰然，任其袭击。亦不至于杀人。则“守”之一字，其功正大，既能自保，亦正不必再出守攻人。因攻我者不能得志，势必知难而退也，故谓之生机。然世之学武者，又恒多练习外功，而少见练内功者，则又何故耶？因外功一事，学习既较为便利，而所费时日又较短少。无论所习者为何种外功，多则三年，少则一年，必可见效。如练打马鞍，三年之后，拳如铁石，用力一击，可洞[6]坚壁。余亦类是。避重就轻之心理，固人人皆有者也。至若内功，则殊不易言成。一层进一层，深奥异常。学之既繁复难行，而所费时日，亦必数倍于外功，且不能限期成功，故人皆畏其难而却步矣。他派固勿论，即投身少林门中者，彼未始不知少林一派中亦有精纯之内功，顾[7]皆舍此而习外功者，实避重就轻之心理使然也。至练习内功，略无根基，入手即练，其难自不待言。若意志坚强，身体壮健，而其人又具夙慧者，练此最为相宜，因内功固[8]重于悟性也。

**注 释**

① 此功夫之不可不练也：这就是功夫不可不练的理由（原因）。

② 不遑枚举：无暇一一列举。遑，闲暇。枚举，一枚一枚列举。

③ 尚：崇尚。

④ 唯守斯静……动是死机：以守为主则静，静是生的迹象；以攻为主则动，动是死的迹象。机，极细微的迹象。

⑤ 即有功夫兵刀：就算有功夫、兵器、刀枪。即，即使。

⑥ 洞：洞穿，穿一个洞。

⑦ 顾：文言连词，反而、却。

⑧ 固：固然，本来。

# 武术内功与道家内功之异同

武术中之所谓内功者，是否与道家之内壮功夫相同？此问题急须解决者[①]。大概今人之言内功者，皆指道家炼丹修道之内功而言，所以谓少林系[②]外家而无内功者，亦由于是[③]。盖少林为释氏[④]之徒，以拯拔一切众生为旨，非专修一己之寿命者，故无所谓炼丹等事。因此外界遂以为既无修炼之术，自然决无内功之言矣，此诚极大之谬误也！殊不知武术中之内功，与道家之内功，固截然不同，二者可相印证，可相发明，而绝端[⑤]不能混为一谈也。然其间亦微有相同之处，即运行气血以充实身体是也。兹且分述其不同之点，以证明武术中之内功，非即道家之所谓内功也，亦所以证武术中之内功，少林派中亦自有之，而非武当所专擅者也。夫道家之所谓修炼者，其主旨在于证道成仙，其练法则重于运气、凝神、聚精，使三者[⑥]互相结合，将本身内阴阳二气相融会，而名之曰和合阴阳。阴阳既和，又必使其精神媾和[⑦]，如行夫妇道，则名为龙虎媾。既媾之后，精神凝聚，如妇人之媾而成孕，则名为圣母灵胎。待此灵胎结成，而具[⑧]我象，则名为胚育婴儿，而大丹成矣，由此而证道登仙矣。练此者为内功，而彼以烧铅练汞者，固不与焉[9]。然其所谓内功，虽非如是[10]简略容易，但就此以推求之，则与武功竟无丝毫之关系。虽证道之后，成为不坏之身，而不虞[11]外面之侵害，但成者古今来能有几人哉？至于武术中之内功，则无所谓灵胎胚育等能事，唯运气则相同。其主志在于以神役气，以气使力，以力固脚，[12]三者循回往复，周行不息，则身健而肉坚矣。吾人之生也，固全恃乎气血，而气之运行，完全在于内府，而外与血液依筋络而循行相应。而体膜之间，气固[13]不能达也。武术内功之所谓内功者，即将气连于内膜，而使身体坚强之法也，亦非如道家修炼之气注丹田，融精会神也。此功练成之后，虽不能名登仙籍，长生不老，而全身坚实，我欲气之注于何处，则气即至何处。气至之处，筋肉如铁。非但拳打足踢所不能伤，即[14]剑刺斧劈，亦所不惧，以[15]气充于内也。后[16]所谓金钟罩、铁布衫等法，仅练得内功之一部分而已，实未足以语此也。此等功夫，练者虽不多，然吾人犹能于千百人中，见其一二，非若真仙不能一见者可比也。此武术中之内功，练习较外功固繁难倍蓰[17]，然较诸道家之内功，犹容易不少也。

**注 释**

① 此问题急须解决者：这是急需解决的问题。

② 系：是。

③ 是：这。

④ 释氏：释迦牟尼氏。

⑤ 绝端：极端。

⑥ 三者：指精、气、神三者。

⑦ 精神媾和：精与神相交合。

⑧ 具：具备，具有。

⑨ 固不与焉：自然不算在内。

⑩ 如是：如此。

⑪ 不虞：不担心。

⑫ 以神役气……以力固脚：以神役使气，以气役使力，以气稳固自己的下盘。

⑬ 固：本来。

⑭ 即：即使，就算。

⑮ 以：因为，由于。

⑯ 后：后世。

⑰ 倍蓰：数倍，好几倍。倍，两倍。蓰，音 xǐ，五倍。

# 内功之主要关键

练习内功，极难入手，非若练外功之专靠肢体之动作与勤行不怠即可收效也。因内功之重者[①]，在于运气。我欲气至背，气即充于背；我欲气至臂，气即充于臂，任意所之，无往不可[②]，斯能收其实用[③]。试思欲其如此，谈何容易！夫气本不能自行，其行，神行之也[④]。故在入手之初，当以神役气。盖入手时毫无根基，而欲气之任意运行，而无所阻核[⑤]，固所不能[⑥]。所谓以神役气者，即从想念入手。如我欲气注于背，我之意想，先气[⑦]而达于背。气虽未到，神则已到。如此久思，气必能渐渐随神俱到，所谓气以神行者是也。此一步法则，亦极难办到。由意想而成为事实，颇费周折，万事皆然，不仅行功已也。在初行之时，固定一部而加以运用。先则意至，次则神随意至，终则气随神至。达最后一步后，再另换一个部分，依法运行之。如此一处处逐渐更换，以迄[⑧]全身。乃更进一步，使气可随神运行全身各部，而毫无阻滞，斯则大功可成矣。惟“以神役气”四字，言之匪艰，行之惟艰。[⑨]练至成功，其间不知须经过多少周折，而行功唯一之关键，即在于此。行功所最忌者，为粗浮、躁进、贪得、越躐[⑩]等事。

练习外功者固亦忌此，然练习内功，忌之尤甚。因外功如犯此数忌，虽足以为害，而其害仅及肢体；如内功而犯此等弊病，其为害入于内部。肢体之伤易治，内部之伤难医，故务须注意焉。且每闻有因练习内功，而成为残废或发疯癫、瘫痪等症者，人每归罪于内功之遗害，殊不知彼[11]于行功之时，必犯上述之弊病而始致如此。盖粗浮则神气易散，躁进则神气急促，越躐即气不随神，贪得则神败气伤，要皆为行功之大害。且犯此弊病者，颇不易救。因我人之生存，全凭此一口气息，气存则生，气尽则死，气旺则康强，气散则疾病，运行不当，其足以致害也，不言可知矣。粗心浮气之人，运气不慎，而入于岔道，不能退出，如走入尽头之路，势必成为残疾；若躁进、越躐，功未至而欲强之上达，则如初能步履之儿，而使跳跃，鲜有不仆[12]者。瘫痪、疯癫一类病症，实皆由此而致，非内功不良之足以贻害，实练习者不自审慎，以至蒙其害也。凡练习内功之人，对于此种关键处，能加以注意，则难关打破，不难成功矣。我故曰贪多务得[13]，非但不能成功，且轻则害及肢体，重则危及生命，实自杀之道，非练功之本旨也，愿学者慎之。

注 释

① 重者：重点。

② 任意所之，无往不可：想去哪儿去哪儿，没有什么地方不可以到达。之，到。

③ 斯能收其实用：这才能收到实效。斯，这。

④ 其行，神行之也：它的运行，是神在使它运行。

⑤ 阻核：阻碍。

⑥ 固所不能：当然是不行的。

⑦ 先气：在气之前。

⑧ 迄：至，到。

⑨ 言之匪艰，行之惟艰：说起来不难，做起来难。匪，通“非”。

⑩ 越躐：越级躐等。

⑪ 彼：他。

⑫ 仆：跌仆，跌倒。

⑬ 务得：强行要得到。务，务必，必须。

# 练功与修养

练习武功之本旨[①]，实[②]在于锻炼身体，使之坚实康强，亦所以防虫兽盗贼之患，非救[③]人以好勇斗狠为事也。故涵虚禅师有“学习武术，尚德不尚力[④]”之语。夫至德[⑤]所及，金石可开，豚鱼能格[⑥]，初不必借重武力，而始可使人折服也。故学习武事之人，对于道德之修养，亦为最重要之事。若不讲道德，专事武功，虽未始[⑦]不足以屈人于一时，然终不能使人永久佩服，盖力足以屈人之身，而不能人之心也[⑧]。每见武术功深之人，谦恭有礼，和蔼可亲，纵有人辱之于通衢[⑨]，击之于广座[⑩]，彼亦能忍受，韬晦[⑪]功深，不肯轻举妄动以至人于伤害也。盖彼功夫既精，若不如此，则举手投足间，皆足以杀人。杀人为丧德之事，故不为也。唯彼[⑫]略得一二手势，粗知武功皮毛者，则粗心浮气，扬手掷足。欲自显其能为[⑬]，尤为小事，甚则好勇斗狠，动辄与人挥拳。胜亦无益，败或残身。且偶然之胜，亦不可终恃，结果必有胜我之人，此俗语所谓“有丈一还有丈二”[⑭]者是也。此等举动，实为自杀之道，去学武之本旨远矣。以项羽之勇，而终败于乌江，非武功之不逮，德不及也[⑮]。故德性之修养，宜与武功同时并进，而品性优良之人习武事，则保身远祸；性情残暴之人习武事，则惹祸招非，此一定不易[16]之理也。昔闻有投身少林学习武事者，主僧默察其人，趾高气扬，傲慢特甚，与之语，尚豪爽，乃留诸寺中。初不教以武技，唯每日命之入山采樵[17]，日必若干束[18]，虽风雨霜雪，亦不能间断。不满其数，则继之以夜，稍忤意志，鞭挞立至[19]。其人历尽折磨，唯以[20]欲得其技，含忍待之。经三年之久，骄气消磨殆尽，主僧始授以技。此非故欲折磨之，实以其骄矜之气太重，学得武功，深恐其在外肇祸，累及少林名誉也。顾[21]此乃他人消磨之，非自己修养也。少林十条戒约之中，亦有戒杀及好勇斗狠一条，此又可见少林武术，对于德性之修养，亦甚注意也。凡武术精深之人，于自身之修养外，对于收徒一事，亦须特加注意，务必择性情优良之人，始传以衣钵。若性情强暴者，尽可挥诸[22]门外，宁使所学失传，不可将就。因此辈学得武艺之后，好勇斗狠，固足害人，甚且流为盗贼，杀人越货，尤足为师门之累，是不可不三注意也！既收徒之后，平日除督促其练习功夫之外，对于德性之修养，亦宜兼顾，如此熏陶，则其人将来学成必不至越礼逾分[23]矣。

**注 释**

① 本旨：本来目的。

② 实：其实。

③ 救：原文“救”当作“教”字。

④ 尚德不尚力：崇尚以德服人，不崇尚以力服人。

⑤ 至德：最高的道德。至，极，最。

⑥ 豚鱼能格：小猪小鱼也能被感通。豚，小猪。格，感通。《周易·中孚》："信及豚鱼。"

⑦ 未始：未必。

⑧ 而不能人之心也："能"字后脱一"屈"字，当作"而不能屈人之心也"。

⑨ 通衢：四通八达的大街上。

⑩ 广座：人广之处，很多人聚会、聚餐的场所。广，多。

⑪ 韬晦：韬光晦迹，指收敛锋芒，隐藏才能与行迹。韬，音 tāo，掩藏。晦，音 huì，隐藏。

⑫ 彼：那些。

⑬ 能为：能耐。

⑭ 有丈一还有丈二：有丈一长的，还有丈二长的。犹如说"能人背后有能人"。

⑮ 以项羽之勇……德不及也：就拿项羽那样的武勇，最终还是在乌江失败自杀，这不是因为他的武功不行，而是武德不行。逮，dài，及，到。

⑯ 不易：不变。

⑰ 采樵：打柴。

⑱ 若干束：几，一些捆。

⑲ 鞭挞立至：立即用鞭子或棍子打。挞，音 tà。

⑳ 唯以：只是因为。

㉑ 顾：但。

㉒ 挥诸：挥之于，即赶出。

㉓ 越礼逾分：不讲礼貌，超越辈分。

# 行功与治脏[1]之关系

凡练习武术者，不论外功内功，须以凝神固气为主。欲凝神固气，又非排除一切思虑，祛除一切疾病不为功。治脏者，即调治内脏，使之整洁，而外邪无从侵入，然后更[2]练习功夫，则神完气足，成功较易，收效较速。否则，内疾不除，外邪易入，纵使日习不辍[3]，非但不能望其有成，甚或受其贼害。故世人往往言："习打坐者易成白痴，习吐纳者易成痨瘵"，此皆未能先行调治内脏，不得其道，致外邪侵入，内疾增盛，而成种种奇病，终至不可药救也。凡行功十要、十忌、十八伤等，皆为治脏法中之最要关键，练习内功者，务须牢记在心，处处留意。迨[4]内脏既[5]完固之后，再依法行功，始[6]可有效。行功之时，以子、午[7]各行一次为佳，以子过阳生，午过阴生，合阴阳二气而融会之，则成先天之象，神思宁静，机械[8]不作，一切杂念，无由而生，浑然一气，成功自易。治脏之诀，只有六字，即呵嘘呼吹嘻[9]是也。每日静坐，叩齿咽津，念此六字，可以去腑脏百病。唯念时宜轻，耳不闻声最妙。又须一气直下[10]，不可间断，其效如神。其六字行功歌曰：肝用嘘时目睁睛，肺宜迴[11]处手双擎[12]，心呵顶上连叉手，肾吹抱取膝头平，脾病呼时须嘬口，三焦有热卧嘻宁。其应时候歌曰：春嘘明目木扶肝，夏日呵心火自闲，秋廻定收金肺润，冬吹水旺坎宫[13]安，三焦长官嘻除热，四季呼脾上化餐，切忌出声闻两耳，其功真胜保神丹。其赞功歌曰：嘘属肚[14]兮外主目，赤翳昏蒙泪如哭，只因肝火上来攻，嘘而治之效最速；呵属心兮外主舌，口中干苦心烦热，量疾深浅以呵之，喉结舌疮皆消减；廻属肺兮外皮毛，伤风咳嗽痰各胶，鼻中流涕兼寒热，以廻治之医不劳；吹属肾兮外主耳，腰酸膝痛阳道萎，微微吐气以吹之，不用求方与药理；呼属脾兮主中土，胸膛腹胀气如鼓，四肢滞闷肠泻多，呼而治之复如故；嘻属三焦治壅塞，三焦通畅除积热，但须一字以嘘[15]之，此效常行容易得。观乎上列之歌，则治脏之功实巨，即不欲练习武功者，依法行之，亦可以却病强身。而练习内功之人，对于内脏之调理，尤须格外注意。因内府调和，则神完气足，利于行功；若内府失调，则神气涣散，外邪容易侵入，而成内疾，于行功上发生极大障碍，甚或成为各种奇病，而至不能救治。故举此法，以便学习内功者，于入手之初，先行此法而理其内脏，以免除一切障碍也。

注释

①治脏：调理内脏。

②更：进一步。

③辙：原文“辙”为“辍”字之误。辍，音chuò，停止。

④迨：同“逮”，等到。

⑤既：已经，已然。

⑥ 始：才。

⑦ 子、午：时辰名。子时为半夜11点至凌晨1点；午时为中午11点至下午1点。

⑧ 机械：机械之心，即巧诈之心。

⑨ 呵嘘呼吹嘻："嘘"字后脱一"呬"字，应作"呵嘘呬呼吹嘻"。

⑩ 一气直下：均匀缓慢地长呼气，一直下到腹部。

⑪ 廻：当为"呬"，下文的"廻"均为"呬"字之误。

**按**：查古籍《养性延命录》《修习止观坐禅法要》及孙思邈《卫生歌》六字诀皆为"吹、呼、嘻、呵、嘘、呬"，而原文"廻"字则查无出处，故原文"廻"字当为"呬"字之误。后同，不另注。

⑫ 手双擎：双手高举上撑。

⑬ 坎宫：指肾。

⑭ 肚：应为"肝"字。

⑮ 嘘：应为"嘻"。

# 内功与呼吸

呼吸一法，在道家称无[①]吐纳，即吐浊纳清之意也。呼吸乃弛张[②]肺部之法。夫肺为气之府，气为力之君，言力者不离乎气。肺强者力旺，肺弱者力微，此千古不易之理也。故少林派中，对于此事非常注意，且有费尽苦功，专习呼吸，而增其气力者。洪慧禅师之言曰：呼吸之功，可令气贯全身，故有鼓气于胸、肋、腹、首等部，令人用坚木、铁棍猛击而不觉其痛楚者，气之鼓注[③]包罗[④]故也。然欲气之鼓注包罗，而充实其体内，亦非易事，当于呼吸上下一番苦功也。唯此项法则，在北方本极重视，而南方之武术界中人，似少注意者。后以慧猛禅师，卓锡[⑤]南中，设帐授徒，于是乃传呼吸之术，学者渐注意之。今南方武术，亦多重[⑥]斯道矣。唯呼吸一事，在表面上视之，似极简便易行，然于时、于地，皆当审择，偶不慎，非但不能得其益，反足以蒙其害。此术河南、江西两省之武术界，皆视为无上妙法，以长呼短吸为不传之秘。河南派名为丹田提气术，江西派名为桶子劲，名目虽互异，而实际则无甚区别也。呼吸之练习，亦有数忌。在初入手学习之时，呼吸切须徐缓，以呼、吸各四十九度[⑦]而定。行时徐徐纳之，缓缓吐之，不可过猛，亦不可前后参差⑧，第一呼吸其速度如何，则至末一次之呼吸，速度仍依旧状。其度数自四十九度起，逐渐增加，至八十一度为止。若呼吸过猛及参差等，皆为大忌，俱足妨害身体。呼吸之时、地，亦极重要。晨间清气中升，洁净异常，是时⑨呼吸，最为合宜。其地则当择空旷幽静之区，则清气多，口中吐出之浊气易于消散，吸入之气，清纯无比。若尘浊污秽之地，以及屋中，亦所切忌，以其清气少而浊气多也。呼吸之初，不妨以口吐气，将肺中恶浊驱出，但以三口至七口为度，以后概用鼻孔呼吸，方可免浊气侵入肺部之患。呼吸时又须用力一气到底，始可使肺部之张缩，以尽吐浊纳清之用，以增气力。若完全用鼻纳气，用口吐气，亦所当忌。呼吸之际，又宜专心一志，不可胡思乱想，心志不宁，若犯此病则气散神耗。气散于外，则所害犹小；若散于内，攻动内府，为害最烈，故思虑一事，亦宜戒忌。以上所述各端，如能加意，则功成之后，周身筋脉灵活，骨肉坚实，血气行动可以随呼吸而贯注。意之所至，气无不至；气之所至，力无不至，可谓极尽运行之妙矣。唯此等法则，虽极佳妙，收效则未能神速也。

**注 释**

① 无：当作“为”字。

② 弛张：松弛和紧张。

③ 鼓注：注入里面。

④ 包罗：包在外面。

⑤ 卓锡：卓，直立；锡，锡杖，僧人外出所用。因而称僧人在某地居留为

“卓锡”。

⑥ 重：重视。

⑦ 度：次。

⑧ 参差：音 cēn cī，不整齐，这里指忽快忽慢、间隔不齐。

⑨ 是时：这时。

# 练功之三要

练习功夫者，有三项要务，不可不知。此三项要务，即渐进、恒心、节欲是也。凡平素未曾练过功夫之人，其全身之脉络筋骨，纵不至若何呆滞，然亦决不能十分灵活，与练过武功者相较，自有天壤之别。此等人如欲练习武功，不论其为外功或内功，务须由渐而入，始可逐步练去，而使其脉络筋骨，随之而渐趋灵活。若入手之时，即遽[①]练剧烈之术，而用力过猛，必蒙其害。轻则筋络之弛张失调，血气壅积而成各种暗伤；重则腑脏受震过度，亦足以发生损裂之患。每见少年盛气之人，学习武功，而罹[②]残疾痨伤等症，甚至因而夭折者，世人皆归咎于武术之不良，实则非武术之咎，全因学者之不知渐进耳。吾人处世立身，无论何事，皆须有恒心，始可有成，学习武功，自亦不能例外。练功之人，既得真传之方法与名师之指点，更当有恒心以赴之，勤敏以持之，方可有成功之望。若畏难思退，见异思迁，或有头无尾，中途停辍，是其与不学相等。吾人如与人谈及此道，爱之者十常八九，唯能勤谨练习，始终不懈，而达成功之境者，实百不得一。是何故哉？岂武功之难，不易练成耶？非也，特[③]学者无恒所致耳。若能有恒心，无论其所练者为外功、为内功，则三年小成，十年大成，必不使人毫无所得，废然而返也。更有一事，为练功最紧要，人所不易免者，即一“欲”字是也。色欲之祸，固不下于洪水猛兽之为害。唯洪水猛兽，人尤知所趋避，而色欲一事，非但不知趋避，反乐就[4]之。其中[5]人也深，蒙害乃易。在寻常之人，亦宜以清以[6]寡欲为摄生之要务，而在练习武功者，于此尤甚。练习内功，本欲使其精神血气，互相团结，而致强身健魄之果，色欲一事，实足以耗其精血，散其神气，而羸[7]弱其身体者也。人身气血，既经锻炼之后，则灵活易动，倘于斯时而犯淫欲，则全部精华，势必如江河之决口，溃泛无遗，以至于不可收拾。如此而言练功，又乌[8]足以得其益？反不如不练之为愈[9]也。故练习内功者，必先节欲，然后可以神完气足，精血凝固，而收行功之效也。以上所举三事，实为练习武功之最要关键，于人生有莫大之关系者。而少林门中子弟，对于此三事，皆奉为至法，不敢轻犯，此亦可见其重要矣！至于组[10]心浮气之流，略得皮毛，即扬手掷足，耀武扬威，对于此等关键，亦漠视之。盖非此等关键之不足重，盖彼固不足以语此也。[11]

注释

① 遽：音jù，急，仓促。

② 罹：音lí，罹患，遭受。

③ 特：但，只是。

④ 就：趋近。

⑤ 中：音zhòng，击中。

⑥ 以：原文“以”字误，当作“心”。

⑦ 赢：“赢”当作“羸”，音 léi。

⑧ 乌：何。

⑨ 愈：佳，好。

⑩ 组：“组”当作“粗”。

⑪ 盖彼固不足以语此也：（而是因为）那些人本来就不值得跟他谈这些。

# 内功之层次

禅分三乘[1]，内功亦分二[2]乘。其下乘者[3]，运化刚柔，调和神气，[4]任意所之[5]，无往不可。刚非纯刚，刚中有柔；柔非纯柔，柔中有刚。其静止也，则浑然一气，潜如无极[6]；其动作也，则灵活敏捷，变化莫测。能运其一口大气，击人于百步之外。且无微不至，无坚不入。猝然临敌，随机而作，敌虽顽强，亦不能御，且受伤者不知其致伤之由，跌仆者不知其被跌之故。诚如天矫神龙[7]，游行难测，有见首不见尾之妙。固不必运用手足，而始能制人也。此种功夫，为内功中之最高者。古之剑仙，能运气铸剑，在百步内取人，有如探囊取物者，即此功也。唯此等功夫，高深已极，不得真传，决难练得。且运气如此，亦非一二年所可成，势非费尽苦功，历尽磨折，始能如愿。其法在今日，虽不能谓为完全失传，但绝无仅有，能者实不易见。至于中乘，则功夫略逊于此。然亦能刚柔互济，动静相因。[8]神气凝结。虽不能运气以击人，亦可以神役气，以气运力，使其气能周行全身，充满内膜。气质本柔，运之成刚，以御外侮。非但拳打脚踢所不能伤，即[9]用利斧、巨锤以劈击之，亦不足以损其毫发。此等功夫，少林门中，能者极多，即今日亦甚易见。此步功夫，虽不足制人，但则御侮有余矣。武术本为强身防患而练习，得此外侮不能侵，寿康亦可期，亦已足矣，更何必定求制人不[10]法哉？此中乘功夫，虽可自习，顾其精奥之处，如不得名师指点，亦不易领悟。练习之时，最少亦须六七年。如天性鲁钝之人，或体弱多病之人，则困难尤多，更不止费此六七年也。至于下乘，则不仅不足以运气击人，即运柔成刚，用以御侮，亦感不足。但能将神气会合[11]，运行于内府，而不能达于筋肉之内膜。其功效则在求内府调和，百病不生，强身引年，以享寿康之乐也。此步功夫，可于治脏法中求之，练习时亦极简便。但能持之以恒，即有成功之望，固不必如练习中乘、上乘之繁复也。大约二年之间，即可见效。且此一步功夫，实为内功入手之初步，即欲练中乘或上乘功夫者，亦须同时注意于治脏。因内府不清，外邪袭入，即足以发生种种疾病。有病之人，欲行内功，实为不可能之事。气散神伤，决难使用[12]。非先去其病，使其神气完固不可。此治脏之法，即廓清内府，消除疾病之极妙方法，勤谨行之，功效极大，且甚神速。故练习内功之人，宣[13]兼治脏也。

## 注释

① 禅分三乘：禅的功夫分为三乘。佛教的教派或教法分为三乘：声闻乘、缘觉乘和菩萨乘，又分别称为下乘、中乘、大乘。乘，音 chéng。

② 二：“二”当作“三”字。

③ 下乘者：原文误，当为“上乘者”，上乘水平的。上乘即上等、上品。

④ 运化刚柔，调和神气：运化刚与柔，调和神与气。

⑤ 任意所之：任凭意之所到。之，到。

⑥ 潜如无极：潜藏含蓄，如在无极状态。无极，无有动向，无有指向。

⑦ 天矫神龙：当为“天骄神龙”或“夭矫神龙”。前者意为天纵宠的神龙，后者意为屈屈伸伸的神龙。骄，宠爱。夭矫，屈伸貌。

⑧ 刚柔互济，动静相因：刚柔相助，动静相生。济，帮助。因，沿袭。

⑨ 即：即使，即便。

⑩ 不：“不”当作“之”。

⑪ 神气会合：神与气会合。

⑫ 决难使用：（这样的气与神，）决难用来练功。

⑬ 宣：“宣”当作“宜”。

# 练习内功之难关

吾人无论练习何种功夫，必有一二难关，而以内功为尤甚。难关层叠，欲一一打破之，殊非易事。外功专重实力之练习，难关易过；内功则重于以气行力，而偏于筋肉之内膜，故难关多而不易打破也。入手之初，练习罗汉拳十八法时，每感身不随手，手不应身之苦。非失之太猛，即失之地[①]太弛。然此一重难关，但能勤加练习，久后熟习，则自能身手相随，心手相印，不必盘根错节，而可以不攻自破。及至进一步而练习五拳之法，则身手之动作，固[②]称心适意，不至再发生困难，而每易感到力至而气不至，气至而神不至，彼此失其连络，而不能互相呼应，纵外面之形式无误，在实际上，实完全无一是处，此关已较上述者较难。唯于各拳法所练之主要点，细加揣摩，应贯力者则贯力，应注气者则注气，各视其宜而行之，心志专一，久后亦易攻破。至第三步练习前部易筋经时必须气力并行，无所不至，始达化境。唯在初时，往往只能力到，而气不到，必须以意役神，以神役气，使之渐能并行。此关实至[③]不易，非经名师指点，与自己之悉心推阐不为功。更进一步而练习后部易筋经时，其难更甚。夫气之一物，运行于内府，而能随意行至，已属不易，今乃[4]欲注其气于筋膜脉络之间，任意流行，而无所阻核，此非难而又难之事乎？在初时自当先从内府流行入手，待气地[5]内府，流行活动之后，再进而练习筋膜间之贯注。此项功夫之法则，就大概言之，要不外乎“以神役气，以气行力”八字。然此中之奥妙，非经名师逐步指点，不能详尽，固[6]非笔墨所能形容。所谓但能意会，不可言宣者是也。凡练习内功之人，如能打破此一重难关之后，则前面皆光明大道，更无毫厘之阻障矣！此外如打坐等事，本与二三两步功夫相并行者，亦有种种困难之处。每有神思恍惚，意志不宁等等弊病。然此等障碍，极易消除，但在人之抑制杂念，使心中光明澄澈，无思无虑足矣。谚有云：“天下无难事，只怕用心人。”是可见无论如何之难事，只须用心以求之，必能望其有成也。练习内功之人，亦自如此。其中难虽多，但能持以恒心，勤行不怠，更寻名师之指拨，则日久之后，此项难关，亦自能逐渐打破，而达登峰造极之境。若畏难而徘徊不进，或立志不坚，则难关打破永无成功之日。世间之事，大都如此，固不仅练习内功然也。

**注释**

① 地：“地”字为误植之冗字。

② 固：固然。

③ 至：极。

④ 乃：却。

⑤ 地：“地”当为“抵”，抵达。

⑥ 固：自然。

# 练武功者须守戒爱国

少林门中，对于戒约一事，极为重视。凡练习武功者，必遵守戒约。如有违犯者，即逐出山门，不认少林弟子。少林之有戒约，自觉远上人[①]始，共十条，大概皆对于道德及技术而言，深得佛门之旨，世代相沿。直至朱明[②]鼎革[③]，满人入主中夏，宗室[④]遗老[⑤]，愤故国之沉沦，欲图大举，相率遁[⑥]入少林。有张一全者[⑦]，重订戒约十条，誓共遵守。此项戒约，与觉远上人所订者，实为大异。因彼以独善其身为主，此则以致身祖国[⑧]为主也。其戒约有“肄业少林技击术者，必须以恢复中国为意志，朝夕勤修，无或稍懈”；及“每日晨兴，必须至明祖[⑨]前行礼叩祷，而后练习技术。至晚归寝时亦如之，不得间断”；及“少林技术中之马步，如演习时以退后三步，再前进三步，名为蹈中宫，示不忘祖国之意”；及“凡少林派之演习拳械时，先宜举手作礼。唯与他家异者[⑩]，他家则左掌右拳，拱手齐眉。吾宗则两手作虎爪式，以手背相靠，平与胸齐，用示反背胡族，心在中国”。观乎以上诸条，则其灭清复明之旨，已显然可知。故少林派之在清初，已具有种族革命之精神。故上述之数条戒约，皆指国家立言也。

至于指练武者个人而言者，则有“凡属少林宗派，宜至诚亲爱，如兄弟手足之互助[11]救助，互相砥砺，违此者即以反教论”；及“如在游行时[12]，遇有必相较量者，先举手作上式之礼。倘系同派，必相和好，若系外派，既不如此。则相机而动，量其技术之深浅，以作身躯之防护，非到万不得已时，不可轻击其要害”；及“传授门徒，宜慎重选择。如确系朴厚忠义之士，始可以技术相传。唯自己平生得力之专门手法，非相习久而知之深者，不可轻以相授。至吾宗之主旨，更宜择人而语。切勿忽视”；及“恢复山河之志，为吾宗第一目的。一息尚存，此志不容稍懈。倘不知此者，是谓少林外家”；及“济危扶倾，忍辱度世，吾宗既皈依佛门[13]，自当以慈悲为主，不可有逞强凌弱之举”；及“尊师重道，敬长[14]爱友[15]，除贪祛妄，戒淫忌狠，有于此而不遵守者，当与众共伐之”。统观以上所述各条戒约，于国于己，皆有关切，故少林武术之至于清代，实不仅以明心见性为主旨，而锻炼体魄，学得技术，实有驱胡漠北，扫穴黎庭[16]之意也。凡少林门中子弟，对于十条戒约，概须遵守；若敢不遵，轻则挥诸门外[17]，重则加以挞伐，故传流至今。不学少林技术则已，如学少林技术，于此守戒一事，犹视为唯一要务也。

**注 释**

① 觉远上人：金末元初人，对少林拳术有重大贡献，曾订立少林戒约十条，见尊我斋主人《少林拳术秘诀》。

② 朱明：即明朝，因明皇帝姓朱，所以称为“朱明”。

③ 鼎革：改朝换代，这里指明朝被清朝取代。

④ 宗室：（明朝的）皇族。

⑤ 遗老：（明朝的）旧臣。

⑥ 遁：隐去。

⑦ 有张一全者：有一个叫张一全的人。

⑧ 祖国：指明朝故国。

⑨ 明祖：明太祖朱元璋，这里指明太祖的神位。

⑩ 异者：不同的。

⑪ 助：当作“相”字。

⑫ 游行时：出行时。

⑬ 皈依佛门：指正式成为佛门弟子。皈依，即归顺依附，信仰佛教者的入教仪式。皈，音 guī。

⑭ 长：长辈，师辈。

⑮ 友：友辈，即同学，师兄弟等。

⑯ 驱胡漠北，扫穴黎庭：将胡族（这里指满人）赶回到漠北，犁平他们的庭院、扫荡他们的巢穴。黎，应为“犁”。

⑰ 挥诸门外：挥之于门外，即赶出少林派。诸，“之于”的合音。

# 练功必求名师

学习武功与学习文事，颇有不同之处，学文者但能识字，即可于书本中求其奥妙，而达于通晓之境，自己用功，即可登堂入室，固不必定须师傅之耳提面命也。练习武功则不然，纵能得其门径及各种动作，唯其精奥之处，则殊难探得，非经名师之指点，实无从领悟也。故武术界对于师傅之尊重，其原因即在于此。拳法外功，已是如此，而内功一法，则为尤甚。盖外功拳法，尚为浅显之事，虽门外之人，不能自悟，但一经说明，定能恍然。唯内壮功夫，其理极深，且隐晦异常，非但门外之人，不能自探其奥妙之所在，即经师傅指点，如自己之功夫未到者，亦不易了解。故内功对于师傅，更为重要，且须自入手时起，至成功而止。在此时期之中，不能一日脱离师傅。盖师傅之指点，亦须由渐而入，逐步做去，亦非能于短期间内，倾筐倒箧以出之者。我国之武术界，向[①]分南北二派。试一究其情形，则北派之盛于南派，自不待言。而推原其故，北方人对于师傅之尊重，实有以致[②]之。北方之人，求得名师，或致[③]之家中，或随侍其人，必至功程圆满，始与相离。自始至终，往往历十余年之久而以[④]怠，自可尽传其技，尽得其秘，而造[5]大成矣。且北人往往于技成之后，游历四方，作寻师访友之举。闻有名师，不远千里而寻求之，以冀得其真诀，竟有终身从[6]十余师者。良以[7]各家各有专长，非如此不能寻得也。南派中则疏于此，且盛行设厂之制。以极短之时间，而教人以些少应用之手法，敷衍了事。即以言功，亦不过插沙、打鞍等等死手，殊无足取。然以予所见，求师实为最要之事。如从师不良，则殆[8]误终身。故求先[9]师必求名师，始能详细指拨[10]，而收探骊得珠[11]之效。此事实一极难之事，盖世间名师固不甚多也。老人云："效法乎上，仅得乎中。"于茫茫人海中，欲求一术臻上乘而堪为我师者，岂易易哉！外功拳脚之术，能者尚多，求之尚易；若内功则精奥深邃，非常人能窥其门径，而能者极鲜[12]。欲求此项名师，诚难而又难矣！唯因此项精奥深邃之故，更不容不有名师之指点解释。非然者，但于书本中研求之，虽可得其皮毛，决难得其精髓！且运气错误，实多危害，非若外功拳脚等法，简便易学，可于书本中求得其实用也。故练习少林内功者，于精勤修养之外，更须注意于师傅之人选，然后始可循序而进，克臻[13]大成也。

### 注释

① 向：向来。

② 致：导致。

③ 致：延请，聘请。

④ 以："以"当作"不"。

⑤ 造：达到。

⑥ 从：跟从，从学。

⑦ 良以：实在是因为。良，确实，实在。以，因为。

⑧ 殆："殆"当作"贻"字。

⑨ 先："先"为冗字。

⑩ 指拨：指示、点拨。

⑪ 探骊得珠：摸到黑龙下巴底下，得到一颗珍珠。比喻得到真传绝技。骊，音 lí，骊龙，黑龙。

⑫ 鲜：音 xiǎn，少。

⑬ 克臻：达到。

# 内功与打坐之关系

打坐一事，无论道家、释家，[1]皆视为极重要之法则。在道家为内观，炼胎息长生之道；在释家为禅定，修明心见性之功。虽志赵[2]之不同，实异源而同果。打坐者，实从静中以求自然之机者也。儒家亦曾云："静而后能定，定而后能安。"此可见"静"之一字，其功之妙矣。练习内功之人，本与外功相反。外功皆从动字上做功夫，内功自当于静字上悟妙旨，此所谓以柔克刚，以静制动者是也。夫吾人生于今世，事物纷繁，情感杂沓，声色攻于外，憎爱萦于中，自然之机，渐被蒙蔽，而至于消灭。在此时而欲其摒七情、远六欲，举一切贪、嗔、痴、爱之事而绝之，返本还原，使四大皆空[3]，三相并忘[4]，六根清净[5]，此非难而又难之事乎？若非苦行修持，曷克臻此[6]！打坐者，即忘机[7]之妙法也，故道家、释家皆重视之，而练习内功者，尤当于此入手。内功之主要关键，固在于凝神、敛气、固精三事。若心如明镜，一尘不染，一念不生，一念不灭，则神自凝，气自敛，精自固。若心中杂念纷投，憎爱起灭，则神耗、气散、精败矣。于此而欲收摄，非借力于坐忘[8]，不可得也。且内功者，固[9]以柔制刚之法也，以安详之态度而克敌人之暴动。是[10]欲得其安，必先能定；欲得其定，必先能静；欲得其静，更非坐忘不为功。由此观之，则打坐一法在内功中所占地位之重要，固不待智者而知之矣。唯吾人处身尘俗[11]，欲其忘怀一切，本非易易。故在入手打坐之初，其意念必不能立刻即达静止之境，犹不免有纷扰之虞。然必设法以驱除妄念，使心境明澈，达于止境而后可。其法唯何？即自观而已。昔人谓打坐之人，必具三观。三观者，即眼观鼻，鼻观口，口观心是也。在打坐之时，必集吾人之意于此三观，然后杂念可渐远矣。予谓不必定念三观，即默念阿弥陀佛，或数一二三四等，皆无不可。盖所以要如此之故，欲其意志专一，不生杂念也，非必一定三观，或三观于此具何法力也。此不过初入手时之一种方法。及至心意渐坚，杂念自然远去，而达于自然之境。功夫既深之后，非但杂念无由而生，即我自己之躯殼[12]，亦置之意外，而至物我俱忘之境，则静止极矣。功行[13]至此，则利欲不足以动其心，荣辱不足以扰其志，心地明澈，泰然自适矣。故练习内功者，必先从坐忘入手，尽求其静。复于静中求动，是为真动。强身健魄，行气如虹。纵[14]不能白日飞升，亦无殊[15]陆地神仙矣。

注释

①道家、释家：道士、僧人。

②赵：原文“赵”误，当作“趣”。

③四大皆空：佛教说法，指世界上一切都是空虚的。这里指忘却世间一切。

④三相并忘：三相都忘掉。三相，我相、人相、众生相。

⑤六根清净：佛教指眼、耳、鼻、舌、身、意为六根。六根于声、色、香、

味、触、法不染着时即为“六根清净”。

⑥ 曷克臻此：怎能达到这种境界！曷，何。克，能够。臻，至。此，这种（境界）。

⑦ 忘机：忘却计较、巧诈。

⑧ 坐忘：指端坐而浑忘一切物与我、是与非之间的差别的精神状态。语出《庄子》，这里指道家的一种修炼方法。

⑨ 固：本来（是）。

⑩ 是：于是。

⑪ 处身尘俗：处身于尘俗之中。

⑫ 彀：原文“彀”误，当作“壳”。

⑬ 功行：功夫。

⑭ 纵：纵然。

⑮ 无殊：无殊于，无异于。

# 打坐之法则

打坐一事，以静为贵。能辟静室，设禅床最佳。禅床之形式，略如一极大之方凳，约二尺半见方，皆以木板制成，务须坚固。如无余屋为静室，即于卧榻上行之，亦无不可，唯以板铺为佳。以[①]棕藤等垫，皆有弹力，坐时不免歪斜倾侧之病，故宜用木板。每日于早、晚各坐片时，时不在乎过久，缓缓垫加[②]，易收实效。坐时勿着相，勿管呼吸，一任其自然。脊柱宜正，口宜闭，牙关宜咬，舌宜舐住上颚，两手轻握，置[③]丹田之下。坐有单盘、双盘之分。单盘者，即以一腿盘于下，而以另一腿盘置其上，法较简单易行。双盘者，即依单盘之式，将盘手[④]下面之脚扳起，置于上面膝头之上，使两足之心皆向上面，而两腿则交叉绾[⑤]成一结，此则较单盘为难。手之位置亦有两种。以左大指轻捏中指，而右大指插入左虎口内，以右大指、食指轻捏左无名指根者，称为“太极图”；而两掌皆仰，重叠而置者，则为“三昧印”。凝神趺[⑥]坐，先自口中吐出浊气一口，再自鼻中吸入清气，以补丹田呼出之气。呼时稍快，吸时稍慢，呼须呼尽。如此三呼三吸之后，内府之浊气，完全吐出净尽，然后再正式行功。在初入手时，必有杂念萦心[7]，而[8]易祛除，则宜念南无阿弥陀佛，或数数目，以自镇定其神患[9]。久后功夫既深，则心境自然明澈，不复须如此矣。坐时宜清神寡欲，收敛身心。早起因晚间静定，是为静中之动；晚间行功，因白日劳动而习定静，是为动中之静。如此操持，是为动静有常，阴阳相生。佛家坐禅，皆用双盘之法，全身筋络，得以紧张，身体容易正直，而收效较宏也。坐时有数要[10]，不可不知：一为存想，即存欲静坐之念，而冥心摒息也；二为盘足，即依坐法盘足趺[11]坐也；三为交手，以两手交置，护于丹田也；四为搭桥，即以舌舐颚，使之生津也；五为垂帘，即下覆其睫，稍留缝隙也；六为守丹田，即意存于丹田，而不即不离也；七为调息，即调和其气息，使之绵绵不绝也。知此七要，而打坐之法尽矣。此外坐法犹有所谓五心朝天者，实系道门中之坐法；而观音坐、金刚坐等法，则为禅门中之别法，随人之性情而变。吾爱何种坐法，即坐何式，固不为[12]拘拘于定见也，唯终以双盘坐法为正宗。坐之时间，以一炊时起手，以后逐渐增加，直至半个时辰以上为止。能坐至如此长久，则心境澄澈，一切杂念，无由而生，一切邪魔，无由而入，则明心见性，可归正觉[13]矣。

注释

① 以：因为。

② 缓缓垫加：慢慢增加时间。

③ 置：置于。

④ 手：原文“手”误，当作“于”。

⑤ 绾：音 wǎn，系，盘结。

⑥ 趺："跌"当作"趺"，音"fū"。趺坐，坐法之一，即至交二足，将右脚盘放于左腿上，左脚盘放于右腿上的坐姿。

⑦ 萦心：萦于心。

⑧ 而："而"当作"不"。

⑨ 患："患"当作"意"。

⑩ 数要：数个要点。

⑪ 跌："跌"当作"趺"。

⑫ 为："为"当作"必"。

⑬ 正觉：佛教语，指真正的觉悟。

# 少林内功之五拳

少林内功，约可分为三步练法。在入手之初，宜先练五拳。所谓五拳者，即龙、虎、豹、蛇、鹤五法也。自梁代达摩禅师传先天罗汉拳十八手以后，直至金元时白玉峰披薙[①]入山，整理少林技术，加以研究。由十八手而增至一百二十八手，于此一百二十八手法中，更分为龙、虎、豹、蛇、鹤五拳。白氏之意，谓人之一身，精、力、气、骨、神，皆须加以锻炼，使互相为用，始克臻[②]上乘。盖精不练不固，力不练不强，气不练不聚，骨不练不坚，神不练不凝也。五拳者，即可以练精、力、气、骨、神之法也。故创此五式，使内外并修，而达于化境也。龙拳练神。练习之时，毋须使用外力，唯须暗中役气，使注丹田，而周身活泼。两臂则沉静不动，使手心足心与方寸[③]相印，此所谓五心相印[④]者是也。如此练去，功成之时，竟如神龙行空，灵活自在矣。虎拳练骨。骨之在于躯干所占之位置极重。骨若不坚，则气力自无所施，故必用虎拳以练之。练时须运足全身之气，使腰背坚实，臂腿牢壮，腋力充沛。起落有势，怒目强项[⑤]，两手作虎爪之状，有如猛虎出山之势。豹拳练力。豹之为物，其身体之雄伟与形状之威武，皆不及虎，而力则过[6]之，且腰肾坚强于虎，故善于跳跃。以之练力，最为合宜。练习豹式，务宜两手紧握，五指如铁爪钢钩。全身宜用短马为起落，而鼓其力于全身。此等法则又名为白豹拳，以[7]形似也。蛇拳练气。蛇之为物，游行夭矫[8]，节节灵涌[9]。人身之气，亦贵于吞吐抑扬，以沉静柔实为主。其未着物也，若甚无力；及其着物，则气之收敛，胜于勇夫。[10]练蛇拳者，正所以使其气有如长蛇之游行，而节节灵通也。练此拳时，宜柔身而出，臂活腰灵，两指相骈[11]，起落而推按之，以似蛇口之舌。且屈折回环，有行乎不得不行，止乎不得不止之意。练刚为柔，所谓行气如虹者，即此是矣。鹤拳练精。鹤之为物，虽属羽禽，顾[12]其精足神完，而克[13]享大年。人身最重要之物，亦厥唯[14]精神，故宜用鹤拳以练其精。练此拳时，宜缓急得中，凝精铸神，舒臂运气。所谓神气相合，心手相印者是也。上述五拳，如能练至精纯之境，则精固、力强、气聚、骨坚、神凝，五者相合，互相融化。为用之妙，不可尽言。倘以制人，则一举手、一投足之间，纵[15]顽强之敌亦可折服，且出之轻描淡写[16]，而并不须穷形尽相[17]也。其中妙旨，可以心领[18]而不可言传，全在学者下功苦练，用心推阐[19]也。

注释

① 披薙：即披剃，剃除须发，披上袈裟，即“出家”。

② 克臻：能够达到。

③ 方寸：即本心。

④ 五心相印：两手心、两足心、一个本心彼此符合。印，印合，符合。

⑤ 项：颈的后部为“项”。

⑥ 过：超过。

⑦ 以：因为，由于。

⑧ 夭矫：音 yāo jiǎo，屈伸貌。

⑨ 灵涌：灵活涌动。

⑩ 其未着物也……胜于勇夫：当他还没有接触对方的时候，好像没有什么力量，等到挨着对方的时候，气一收敛，则瞬间发出的力量胜过大力士。

⑪ 骈：并排。

⑫ 顾：但。

⑬ 克：能够。

⑭ 厥唯：只有。厥，句首助词。唯，只有。

⑮ 纵：纵然，即便。

⑯ 出之轻描淡写：出之于轻描淡写，只需轻描淡写的一举手，一投足。

⑰ 而并不须穷形尽相：而不必摆出各种架式，做出各种样子。

⑱ 领：领会。

⑲ 推阐：推究阐发。

# 五拳之练习法

五拳为龙、虎、豹、蛇、鹤五形，前已详论之矣。唯其练习之法，犹未述及，今且分节言之。每一种拳法形状，内中又分为数小节，如虎拳中则有黑虎试爪，及黑虎坐洞等各种形式；而鹤拳则有白鹤亮翅，野鹤寻食等式，固不仅五种成法也。兹将各法分述于后，以便学习也。



## 虎　拳

### 一、黑虎试爪

两足分开，屈两膝而沉上身，踏成马步。右手置腰际[①]，掌心向下，用力下按。左手则向右方推出，上身亦随之向右旋转，至右斜前方为度。头与身之方向同。突目前视[②]。式如上[③]图（附图1）。略停片时，更依前法向左行之，图不附。

附图1　黑虎试爪

注 释

① 右手置腰际：右手放在右腰处。

② 突目前视：鼓起眼向前看。

③ 上：原版书的图排在文字上方，故称“上图”。后同，不另注。

附图2　虎掌爬风

## 二、虎掌爬风

两足分开，如上式作马步。左手作虎爪状，自右下[①]提起，手掌向外，运指力向左拉引。同时，右手从右侧平臂举起，反掌向上[②]，至齐肩时则折肱向内[③]，指作虎爪形，如抓物带回之状。身向正前方，头偏于右，目突视右手，式如上图（附图2）。略停片时，更如法向左行之[④]。

注 释

① 右下：右下方。

② 反掌向上：掌心向上。

③ 至齐肩时则折肱向内：到与肩相平时屈肘，小臂向内折回。

④ 更如法向左行之：再照之方法向左做一遍。

附图3　饿虎寻羊

### 三、饿虎寻羊

左足向右方踏进一步，同时，全身转向右方。两臂从旁竖起[1]，掌心向前。至平肩时，则向前缓缓压下，作虎爪扑物状。落至齐腰[2]，则屈肘运指力向后拉引；同时，上身即向前探出。手拉至胁间为度。式如上图（附图3）。如此三探、三退而止。[3]

注释

① 两臂从旁竖起：两手臂从身体两侧屈肘竖起。

② 落至齐腰：两手抓落至腰的高度时。

③ 如此三探、三退而止：照这样探抓三次，退拉三次后停止。

附图4　黑虎坐洞

### 四、黑虎坐洞

先两足分开作马步。左手由前下方拗[1]起，作抓物上提之状[2]，至头上而止。右手则从左腰处提起，向右方拉开，作撕物之状，至右乳前为度。臀部下挫[3]，上身略后仰，头偏右方。式如上图（附图4）。略停更如法向左行一次。

注释

① 拗：音ǎo，折。

② 作抓物上提之状：做抓住一物向上提起的动作。

③ 下挫：往下挫。挫，按抑。

## 五、猛虎伸腰

附图5　猛虎伸腰

先分开两足作马步。两手同时向右肩上一扬，左手即从额前抄过，向左拉开，至左肩外而止；右手即从旁侧拉回，至胸前为度。在两手拉回之时，右足挺直，上身向左移挫[①]，头偏右，目上视，式如上图（附图5）。略停，更如法向左行一次。

注释

① 移挫：挪移，挫动。

## 六、白虎推山

附图6　白虎推山

先将左足[①]踏右一步成弓箭式。两手从前[②]提起至肩前，同时向前探出，再将两手用力缓缓向前推去，上身乘势挺直，臂直为度[③]。全身向右，目视指尖，式如上图（附图6）。如此三推、三退而止。

注释

① 左足：应为“右足”。

② 前：身前。

③ 为度：为准。

## 豹　拳

### 一、金豹定身

附图7　金豹定身

两足并立，向右旋转，全身旋至右斜方①为度。两手握拳，务须极紧。在旋身之时，运力缓缓屈肘提起，至齐腰而止，掌心②向下，拳口③贴腰。头则微昂④，目向上视，式如上图（附图7）。略停，回复原位之后，更如法向左方行一次。

注 释

① 右斜方：右前方。

② 掌心：拳心。

③ 拳口：虎口。

④ 微昂：微仰。

### 二、地盆撕折

附图8　地盆撕折

先将两手交叉于腹前，左外右内①，成斜十字形。两脚分开踏成马步。两臂即于此时向前翻起至胸下脐上处，掌心已向前面，即将两手用力向旁分开，有如抓住一物，欲加以撕裂之状，左手在脐前，右手在胸前，身向正前方。式如上图（附图8）。略停，将两手更换，反行一次②。

注 释

① 左外右内：左手在外，右手在内。

② 反行一次：反过来做一次。

## 三、豹子穿崖

附图9　豹子穿崖

先将右足向右踏出一步，上身亦随向右方①，成为右面之右弓左箭步。同时，右手握拳，从下提起护腰，掌心②向上，拳口③向外；而左手亦紧紧握拳，折腕使掌心向前，然后屈肘将拳向上超起④，至平肩为度⑤；上身略向前倾，目突视左拳。此时左拳之掌心已向内⑥矣，式如上图（附图9）。略停，回复原位之后，更如法向左方行一次。

注 释

① 上身亦随向右方：上身也随着转向右方。

② 掌心：拳心。

③ 拳口：虎口。

④ 超起：当为“抄起”。

⑤ 至平肩为度：至与肩相平为准。

⑥ 掌心已向内：即已成为拳心对脸。

## 四、豹子弄球

先将右脚向右踏出一步，全身亦向右旋，足成右弓左箭步[①]。同时，左手揸开五指[②]，伸至前面，反掌向外[③]，伸直后即用力向内拉回，手亦握拳，至左胁旁[④]为度；同时，将右手揸开五指，伸至侧面[⑤]，掌心向后，缓缓拢指[⑥]压下，至腰外时[⑦]，即握拳向前上拗起，如握住一物，向前折举之状，目视右拳，式如上图（附图10）。略停，复原位后，更如法向左行一次。

附图 10　豹子弄球

注 释

① 右弓左箭步：即右腿弯曲如弓，左腿蹬直如箭的步型。

② 揸开五指：五指分开。

③ 反掌向外：即掌心向外，掌指向右。

④ 至左胁旁：此时为拳心向上。

⑤ 侧面：右侧。

⑥ 拢指：拢指成拳。

⑦ 至腰外时：至右腰处时。

## 五、金豹朝天

附图 11　金豹朝天

先将右脚向右踏出一步，上身随之旋转，踏成右弓左箭步。两臂同时向后张开，两手则掌心向外[①]，用力向后揸[②]去。至极度时，再握拳折腕，使掌心向内，用力向上冲起，拳肱相接[③]，拳平于顶[④]。头略昂[⑤]，目视双拳。式如上图（附图 11）。略停，回复原位后，更如法向左方行一次。

注释

① 掌心向外：即掌心向后，掌背贴后腰。

② 揸：即“插”。

③ 拳肱相接：两拳两小臂相靠。

④ 拳平于顶：拳的高度与头顶相平。

⑤ 头略昂：头微抬。

## 六、金豹直拳

先将右脚踏右一步，成为右弓左箭步，全身皆向正右方。在旋身之际，两手握拳，两臂从旁举起，平肩为度。[①]掌心向前，虎口向上。至此乃将右拳向内拢入，至直举前方为度。而左拳亦折肘向右肩处拢入，至肩尖为度[②]。式如上图（附图 12）。略停，回复原位后，更如法向左行一次。

附图 12　金豹直拳

注释

① 两臂从旁举起，平肩为度：即两臂侧平举。

② 至此乃将……至肩尖为度：此时再将右拳直臂横向拢回至正前，左拳屈肘横向拢回至右肩处。

## 龙拳

### 一、双龙掉尾

先将两脚分开，上身下坐①，使成骑马式。在上身下沉之际，两手在下合掌，向上折肘举起，置于当胸，作和南②之状。然后分开手掌，缓缓向两旁推出，至两臂平直为度。此法，力须停于掌根而贯于指端，身向正前。头略偏右。式如上图（附图13）。略停，将手落下，更续行一次，动作同，唯头部向左耳。

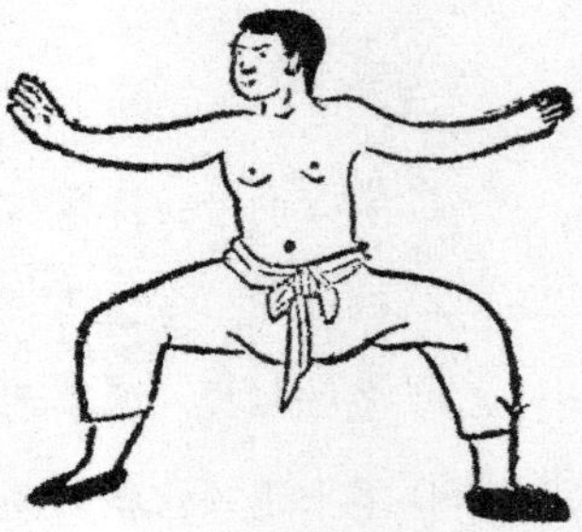

附图13　双龙掉尾

注释

① 上身下坐：上身往下坐。

② 和南：梵语音译，即合掌敬礼。

二、金龙献爪

附图 14　金龙献爪

先将两足分开，如上式成骑马步。两臂即从左右屈肘举起，使肱臂与头，成一“山”字形，手掌向前①。略一停顿之后，即用力屈指，作龙爪状，同时将肱向前压下。手至肩前时，再略一停顿，即将两大臂掰紧②，而将两手及肱向后反张③，至两肩尖外为度；身首各部，皆向正前，式如上图（附图 14）。如此三举、三落而止。

注 释

① 手掌向前：即掌心向前。

② 将两大臂掰紧：将两大臂夹紧。掰，音 gé，两手合抱为“掰”，这里应指用小臂夹紧大臂。

③ 两手及肱向后反张：两手臂随挺胸向身后弯。张，弯弓上弦叫“张”。

三、白龙回首

先将右足向右踏进一步，成右弓左箭步，身亦随之旋转。右手直伸于后①，左手则向后斜下方作拾物状。略一停顿，左手向上斜扬起，而右手即作抓物状折肘收回；同时，挺直右足，屈下左足，②上身亦向左斜倾。头偏右方，两目上视，式如上图（附图 15）。略停，回复原位后，更如法向左行一次。

附图 15　白龙回首

注释

① 后：应为“前”。

② 挺直右足，屈下左足：右膝挺直，左膝弯曲。

## 四、龙气横江

先将右脚向右方平开一步，两手交叉于腹前，左外右向[①]，乃徐徐将身向右方旋转，变成右弓左箭步。同时，将左手反掌向后分出，而右手则翻掌向上，从下超[②]起，以指尖齐眉为度[③]。上身向正右，略略后仰。目视右手指尖，式如上图（附图16）。略停，回复原位后，更如法向左方行一次。

附图16　龙气横江

注释

① 向：原文“向”字误，当作“内”字。

② 超：当为“抄”。

③ 以指尖齐眉为度：此时两掌掌心均向上。

附图17　盘龙探爪

## 五、盘龙探爪

先将右足向右踏出一步，身随之俱转，使成右弓左箭步。乘势将左手提置腰间，掌心向前，指皆弯转；而右手则提至乳际，向前推出，臂直为度。略一停顿，则右手拉回置腰间，同时左手向前推出。然后将身旋至正左方，依法[①]行一次而止。上图所列，乃右第一势之情形（附图17）。

注释

① 依法：照这方法。

附图 18　游龙退步

六、游龙退步

先将两足分开，作骑马式。左手平举于侧，掌心向前。右手置于左腰之前，掌心向内。上身略倾于左。然后将左手屈指，向斜下方拦回至右腰前为度，掌心向内。而右手则同时向斜上方扬起，掌心向前。左腿乘势挺直，上身则倾向右方。上图乃系向左之定势（附图 18）。

## 蛇　拳

一、八卦蛇形

先将两足分开，上身下坐①，作骑马式，身略偏右②；左手屈肱③，置于脐下；右手屈肱，置于脐上；然后将上身徐徐向左旋转。在下之左手，由下从前面④折腕翻起，至当胸为度，掌心向外；右手则由内⑤向下按去，至腹前为度，掌心向下，上身偏左斜⑥，式如上图（附图 19）。略停，更如法反行一次⑦，身旋向右⑧。

附图 19　八卦蛇形

注 释

① 上身下坐：上身往下坐。

② 身略偏右：身略向右拧，且重心略偏于右腿。

③ 屈肱：即屈肘。

④ 前面：外面。

⑤ 内：里面。

⑥ 上身偏左斜：即重心偏于左腿。

⑦ 更如法反行一次：再照这方法反做一次。

⑧ 身旋向右：身旋转至向右。

## 二、白蛇吐信

先将两足分开，踏成骑马式。左手屈肱提起，置左膝上，屈无名指与小指。而右手则抄至左方上提，向右方分去，①亦屈二指。同时，上身向左下坐至极度。②然后再将身移向右方。右手屈肱置膝上，而原屈之左手，则向左方分去。③身偏于右，头略下俯，而双目则视左指尖。上图所示，乃向左之定势也（附图20）。

附图20　白蛇吐信

注 释

① 而右手……右方分去：右手先沿下弧往左边抄起，再沿上弧划向右边。

② 同时，上身向左下坐至极度：与右手向右划的同时，上身向左移、向下坐至极点，同时身向右扭，头略俯下，目视右手指尖（后面要领参见下文）。

**按**：以上为"右吐信"，以下为"左吐信"。

③ 而原屈之左手，则向左方分去：而原来放在左膝上的左手，则先沿下弧往右边抄起，再随着上身的向右移坐，沿上弧划向左边。

**按**：这是"左吐信"。

## 三、毒蛇横路

附图 21　毒蛇横路

先将两足分开，踏成骑马式。左手伸直中、食二指，向右方探去。右手亦屈肱竖起，放于肩外。上身右领[①]。然后将左手由前面向左平分[②]，至肩外则屈肘缩回；而右手则同时向左推过，放于左手之前，臂直为度；上身亦移向左方[③]，头偏于右，式如上图（附图 21）。略停，更如法向左亦行一次。

注 释

① 上身右领：上身往右领。

**按**：即左腿蹬、右腿弯，重心移向右腿。但头向左后拧（参看下文）。

② 平分：平着划。

③ 上身亦移向左方：即"身向左领"。

## 四、两蛇分路

先将两足分开[①]，左手提置于右腰之前[②]，右手则直伸中、食二指，屈肱提起，掌心向内，指尖与鼻尖相对[③]。然后将身向右方旋转，足踏右弓左箭步[④]；左手则用力缓缓向后推出，右手则折腕向前指出；[⑤]全身向右，目视指尖，式如上图（附图22）。略停，旋身向左，如法亦行一次。

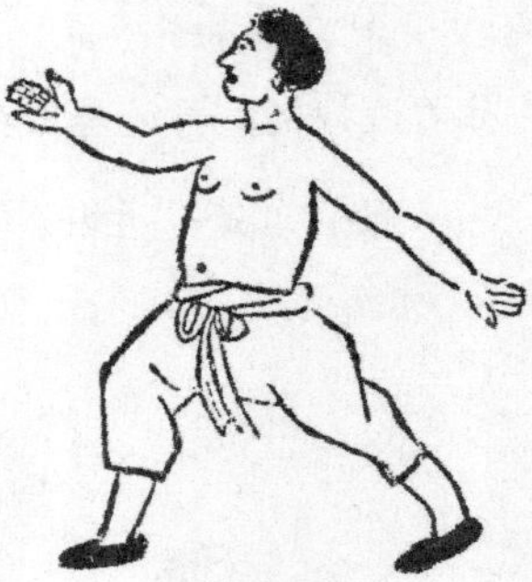
附图22　两蛇分路

注释

① 先将两足分开：先将两脚分开直立，面朝正前。

② 右腰之前：即右肋处。

③ 指尖与鼻尖相对：指尖朝上，指肚与鼻尖对齐。

④ 足踏右弓左箭步：右足迈出，两脚站成右弓左箭步。

⑤ 左手则用力……向前指出：两手手心均向上。

## 五、白蛇盘鼠

附图23　白蛇盘鼠

先将两足分开[①]，两手伸直中、食二指，屈肱提置胸前[②]。上身向右旋转，两足踏右弓左箭步；[③]左手则从前面抄向右方指出，掌心向前，指尖向右，上身旋至右后为度。[④]然后将左手收回置腰前，右手从前面抄过指出，身随之旋至右前方为度，[⑤]式如上图（附图23）。略停，更旋身向左，如法亦行一次⑥。

注 释

① 先将两足分开：先将两脚分开，正面自然站立（假设面朝正南）。

② 屈肱提置胸前：屈臂上提，（两手）置于胸前。

③ 上身向右旋转，两足踏右弓左箭步：（然后）身转向右（即西），右脚迈出一步，两脚站成右弓左箭步。

④ 左手则从前面……至右后为度：（再两脚及右手原位不动）上身右转，至转向右后方（即东北）为止；左手拧成横掌（剑指），从身前横着向右边抄过去，掌心向外，掌指向右。

⑤ 然后将左手……旋至右前方为度：然后再将左手收回至左腰部，右手拧成横掌（剑指），从身前横着向左边抄过来，掌心向外（西），掌指向右（南）；同时，上身也随着左转，转回至右前方（即西）为准。

⑥ 略停……亦行一次：由前势，收回到面朝南的立正姿势，略停一停，再向左（即东）转身，迈出左脚，照前面的方法反过来做一次。

## 六、毒蛇守洞

附图24　毒蛇守洞

先将两脚分开，踏成骑马式。将上身略向右旋；两手同时向右斜上方推去，身亦前探①；然后左手从原处落下，置于左膝前，而右手则在前面向斜下方徐徐压下，至左手上面为止；上身亦向左移旋②；坐至极度，头偏右上③，式如上图（附图24）。略停，更如法反行一次。

注释

① 身亦前探：上身也向前探出。

**按**：这里的前，就是开始时的"右"。假设开始站成面朝南的骑马式，则此动为左腿蹬直、右腿弯曲，身向前（即西）探出。

② 上身亦向左移旋：上身也向左（即东）移动、旋转（转至胸向东南）。

③ 头偏右上：即回头看右上方。右即西。

## 鹤拳

### 一、白鹤亮翅

先将左足由原方向踏前半步[①]，与右足前后参差[②]；同时，将两手屈肱拗起[③]，放于两肩之外，指尖向上，掌心向外。然后将脚尖略略点起[④]，两手即同时向左右搧下，至臂直为度[⑤]，而两手掌之方向，则完全不变；身首皆向前面，式如上图（附图25）。略停，手足复位，更以右足踏前，如法行之。

附图25　白鹤亮翅

注释

① 踏前半步：向前踏出半步。

② 前后参差：前后差（chà）开。参差，音 cēn cī，前后，高低不齐为"参差"。

③ 屈肱拗起：屈臂折起。

④ 将脚尖略略点起：即脚尖点地，脚跟离地。

⑤ 为度：为准。

附图26　野鹤寻食

## 二、野鹤寻食

先将左足向右踏出一步，上身随之旋转，至正右方踏成左弓右箭步；两手伸直大、中、食三指，而屈其余二指，[1]屈肱提起。先将左手向下作抓物状；然后右脚踏进一步[2]，收回左手，改用右手向下作抓物状；上身前倾，目视地上，式如上图（附图26）。略停复位[3]，更如法向左方行一次。

注释

① 两手伸直大……其余二指：这是模仿鹤爪。

② 然后右脚踏进一步：然后，再右脚踏进一步到左脚前，成为右弓左箭步。

③ 复位：恢复正面立正姿势。

### 三、雄鹤印翎

附图 27　雄鹤印翎

先将两足分开，两手则各伸直其大、中、食三指，而屈其余二指，屈肱提起，平置于肩尖之前，掌心向下[①]；乃向左旋身，左手顺势向后面[②]刷去，而右手下按至左乳之前。全身向左后略一停顿之后，即向右旋身，右手依法刷出[③]，而左手则收回置于右乳之前，全身移向左前，头偏于右，目视右指尖，式如上图（附图 27）。

注释

① 掌心向下：掌心向下，掌指相对（各三指）。

② 后面：假设开始时面朝南站立，则这里的后面指“西”。

③ 右手依法刷出：右手随右转身刷向右后。

附图 28　长臬独立

### 四、长臬独立[①]

先将两手各屈小指及无名指，而直伸大、中、食三指，向前举起[②]，至与肩平时，则向左右两旁分开，至成“一”字形为度，掌心向下；在两手动作之际，右脚即向上提起，膝抵于腹，然后再将两手折肱，由斜下方抄起[③]，提至肩前，式如上图（附图 28）。略停复位，更提左脚如法行之。

注 释

① 长臬独立：像长长的标杆一样单腿独立，臬，音 niè，测日影的表（即标杆）。

② 向前举起：从正前直臂抬起。

③ 由斜下方抄起：由斜下方向中上抄起。

## 五、鹤爪印沙[①]

先将全身旋向右方，右足向前踏进一步，唯用脚趾点地，并不踏实；左手则从下面用力折肱，向上拗起，至迎面为度，掌心向前；右手则从旁侧屈肱提至肩外，然后向前推压而下，至手平乳为度，[②]掌心向下，肘略屈，头后仰，式如上图（附图29）。略停复位，更如法向左行一次。

附图29　鹤爪印沙

注 释

① 印沙：即按沙留下印。

② 右手则……至手平乳为度：右手先从右侧屈臂提起至右肩处，然后再向前下按压，至手与乳相平为准。

## 六、冰鹤守梅

先将身体向右旋转，两手各屈其小指及无名指，而直伸其大、中、食三指，依长臬独立之法，两臂从旁平举，至成“一”字形为度；右足同时向上提起，膝盖及乳①，然后将两手从旁拦入②，抱取膝头③，右手在外，左手在内，式如上图（附图30）。略停复位，更旋向左方，提左足如法行之。

附图30　冰鹤守梅

注释

① 膝盖及乳：膝盖贴住右乳。

② 拦入：搂回。

③ 抱取膝头：抱住膝头。

# 少林内功与易筋经

少林门中之内功，以易筋、洗髓二经为最精纯。洗髓一经[①]，即本仙家伐毛洗髓之意[②]，其高深奥妙，超乎一切武功，不易领悟，且其原本早已失传，世间即有此书，要皆后人搜集《道藏》附会而成，牵萝补屋，固不见其能收若何效果也。[③]唯易筋一经，少林门中犹多传法，并未泯灭，唯与世间刊本颇有出入。今人之言易筋经者，每分为外功易筋经、内功易筋经，是亦牵强[④]之说也。吾人试考其命名之义，即可知易筋之止有一经，有不容强加分析[⑤]之处也。“易”者“换”也，“筋”者“筋脉”也，“易筋”云者，盖言去其原来羸弱无用之筋，而易以坚强有用之筋也。亦即言练习此功之后，可以变易其筋骨，而使坚强有用也。由此观之，则功既同名易筋，而易筋之功夫，又属于少林之内功门中，又乌得[⑥]而强分之耶？此实世人不细味[⑦]其命名之义，而妄加分析也。就予所知，易筋一经，实传自震旦初祖[⑧]达摩禅师，全部共二十四段，分为前后二部。其前部较易练习，为入门之秘诀；其后部较为精奥，为成功之途径。今人不察，皆以[⑨]前部为外功易筋经，而以后部为内功易筋经，实大误也。且有云[⑩]“外功易筋经为十二段，即今日通行之法；内功易筋经共二十四段，今已失传。”殊不知前后共止二十四段也。此步功夫练成之后，即入内功之中乘，能运柔成刚，以御外侮[11]。所谓易筋者，非真能将人体之经络取出，而换以坚强之筋，犹言[12]练此功夫，日久之后，即可使筋骨坚强，胜于未练之时，如脱胎换骨。“易筋”云者，比喻之辞也。[13]洗髓之经，予不得而见。《易筋经》则非但所见之本甚多，且曾事[14]学习。同邑蒋觐园先生，曾得真传于少林老僧，且藏有真本。其文，孙小溪曾假予抄录，[15]且为予言其精奥之处。予以多病之身，练习一年之后，虽未能变懦夫为壮汉，而病魔远避，身体康宁。而所练者，犹[16]仅其前段。于此可证此项功夫实具有绝大功效也。闻小溪言，觐园先生能运气于全身，尝命人以利刀刺之不能伤，唯力避耳目又两颊耳。其功夫皆从易筋经中练得，此又可证易筋经之可以御枪刀，并非虚语也。蒋之本，与坊间之刊本互有异同，兹即以此本刊行，以正谬误。且述小溪之语，使世之学武者，知易筋经之但分[17]前后二部，以便练习者得以渐进，皆属于少林内功门中，实无所谓外功内功之分也。否则强分派别，徒贻讥于识者耳[18]。

注释

① 洗髓一经：《洗髓经》这一本书。经，书。

② 即本仙家伐毛洗髓之意：就是根据仙人“伐毛洗髓”的说法。即，就是。本，根据。仙家，得道成仙的人，这里指《太平广记·神仙六·东方朔》里的黄眉翁。宋代李昉等《太平广记》引《洞冥记》记载，仙人黄眉翁对东方朔说：“吾三千岁一反骨洗髓，二千岁一剥皮伐毛，吾生来已三洗髓，五伐毛

矣。”伐毛洗髓：削去旧的毛发，长出新的毛发；清洗掉旧的骨髓，生出新的骨髓。

③ 世间即有此书……收若何效果也：世间即便有这么一本书，总都是后人搜集《道藏》中的文字附会而成的。这就像把萝藤拉到房顶上来补草屋，本来看不见它们能收到什么效果。《道藏》，道教经典的总集。萝，植物名，女萝。

④ 牵强：勉强。

⑤ 分析：分解，指把易筋经再分为内、外二经。

⑥ 乌得：怎能。乌，何。

⑦ 味：体味，体会。

⑧ 震旦初祖：即中国禅宗初祖。

**按**：达摩禅师是中国佛教禅宗的始祖。震旦，古代印度人称中国为“震旦”。

⑨ 以：以为。

⑩ 云：说。

⑪ 以御外侮：用以抵御外来的欺侮。

⑫ 犹言：犹如说。

⑬“易筋”云者，比喻之辞也：称为“易筋”，是比喻的说法。

⑭ 曾事：曾经从事。

⑮ 其文，孙小溪曾假予抄录：它里面的文字，孙小溪曾经借给我抄录。假，借。

⑯ 犹：还。

⑰ 但分：只分。

⑱ 徒贻讥于识者耳：只不过留给能识别的人讥笑而已。

# 易筋经前部练习法

此部《易筋经》所列各法，即俗传之外功易经是也，共十有二段。每段动作不同，而各有其妙事[①]。宜于清晨薄暮之时，在空旷清洁之地，依法练习。待十二段行毕后，再从第一段复练，周而复始，晨夕各三次。一年之后，则精神委顿者，立[②]可振作；而精神健旺者，则实力增加，神完气足，洵[③]有易筋换骨之妙。但须每日行之，切不可稍有间断。若荒怠不勤，绝不能克期[④]收效也。



注释

① 妙事：妙处。

② 立：立即。

③ 洵：确实。洵，音 xún。

④ 克期：限定日期。克，限定。

## 第一段

面向东方而立，两足分开，中间相距约一尺开阔。足之位置，须

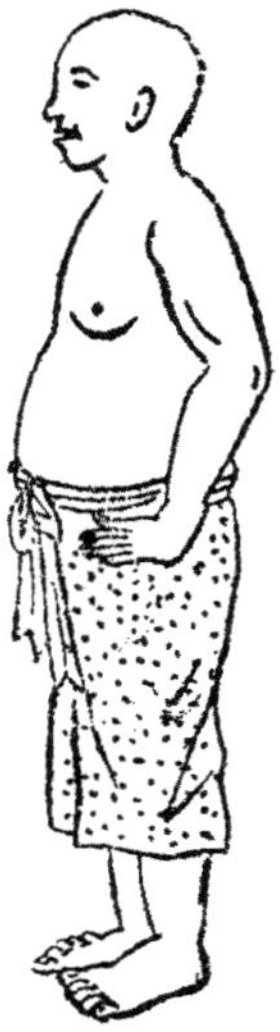

附图 31　第一图

趾与跗同一方向[①]，切忌踏成八字形。凝神调息，摒除一切杂念，鼓气于腹，毋使走泄。头部向上微昂，口宜紧闭，牙齿相接，舌尖舐住牙关，两目向前睁视，睛珠[②]须定，不可稍有启闭[③]。然后将两手折腕昂起，使掌心向下，指尖向前。再缓缓踏屈其肘节[④]，将手提起少许，至腰部稍下处为度。唯两手虽上提，而两臂之气力，必须下注，如按桌踊身之状[⑤]。略加停顿之后，乃将十指运力向上翘起，而掌根则运力捺下。行时须极徐缓。至极度后，再停顿片刻，乃放下手指，提起掌根，回复原状。如此一翘、一按，是为一度[⑥]。徐行[⑦]四十九度，而第一段功夫完毕，须默记其[⑧]。（附图 31）

按：此段名“混元一气”之势，先天之象也。[⑨]一翘、一捺，得乎动机；停顿贯气，得乎静定。[⑩]动静相因，而阴阳判，万物生矣。故以下各段，皆由此式而化生者也。[⑪]行时宜全神贯注于指掌之间，不可相离。日久之后，则气随神到而运于内，力由气生而行于外，内外相合，而超乎一切矣。若神气涣散，力不专注，是为[⑫]大忌。在两手上提之时，切不能过至腰上，否则非但不得其益，且有损于筋骨，慎之！慎之！

## 注释

① 须趾与跗同一方向：必须脚趾到脚背朝着正前。趾，脚趾。跗，音 fū，脚背。

② 睛珠：眼珠。

③ 不可稍有启闭：不可眨眼。

④ 踏屈其肘节：肘向下塌弯。

⑤ 如按桌踊身之状：就像按着桌面，身子往上跳的样子。

⑥ 一度：一次。

⑦ 徐行：慢慢地做。

⑧ 须默记其：应为“须默记其数”，此处缺一“数”字。

⑨ 此段名“混元一气”之势，先天之象也：这一段叫作“混元一气势”，是先天之象。

⑩ 一翘、一捺……得乎静定：两手一翘一捺，得的是动机；停下来贯气，得的是静定。

⑪ 动静相因……而化生者也：动与静互相连接，从而使阴与阳分别开来，万物生长出来，所以以下各段，都是由此式化生出来的。

⑫ 是为：这是。是，这。为，是。

第二段

行前段功夫既毕之后，则将气力收起，复[①]平常小立状态，使全身筋骨稍为舒展，以免过劳之弊。其休息之时间，则不必限定。行第二段时，先将两足紧并，全身正立，鼓气闭口，突视昂首[②]，与第一段完全相同。两手则将指屈转握拳，唯大指伸直。此时握拳极松，不可用力。握定之后，则将拳移置于大腿之前面，掌心与腿面相贴，两大指则遥遥相对。至此，略略停顿之后，即将每手之大指向上翘起，以至极度；同时，两手之其余四指，则用力紧握，务[③]用全力；而两臂之力，则须下注，切不可有丝毫提劲。略停片刻之后，两大指即徐徐放下，余指亦慢慢松开，以复原状。两臂则宜用提劲，使气力上收。如此一紧、一松为一度。行时宜凝神注气，专心一志。行四十九度，第二段功夫毕矣。式如第二图（附图 32）。

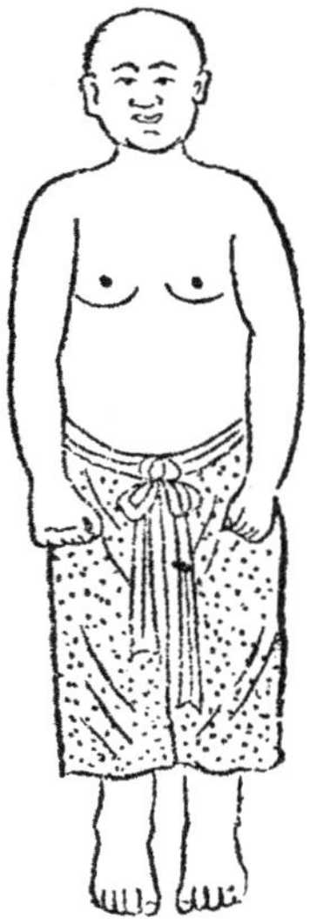

附图 32　第二图

按：此一段，坊本有将两拳贴置于大腿之旁侧，而大指向前者，殊[4]不得势。不得势则力不充，力不充则气不行，精神亦因之而涣散，以之求功，尚可得乎？实谬误之甚也。至于翘指之时，不能稍杂提劲者[5]，则以[6]气力下注，贯于拳指之间，俾拳能愈握愈紧，指能愈翘愈高也。行此段功夫，亦宜出之徐缓[7]。紧时则气力下注，松时则气力上提，一注、一提，所以行气使力也。

在表面观之，似乎功夫仅及于指臂，实则偏[8]及于全身。盖以人身肢体，无不通连，而气之源流，又从内府行流而至，无所不及也。在行功之时，最忌口鼻呼吸，身体动摇，因皆足以耗气散力也。

注释

① 复：恢复。

② 突视昂首：瞪目抬头。

③ 务：务必。

④ 殊：很，极。

⑤ 不能稍杂提劲者：不能掺杂一点功的原因。

⑥ 以：因为。

⑦ 亦宜出之徐缓：也应该慢慢地做。

⑧ 偏：当为“徧”，即“遍”。

第三段

行第二段功夫既毕之后，略事休息，再续行第三段。此段正立如前。先将两足分开，中间距离约一尺左右，务须趾与跗成平线，忌作八字形。腿部宜运力下注，不可使稍有松浮，否则身体易于摇动，而致神气涣散矣。头昂目睁，口闭牙接，鼓气腹中①，与上二段同。两手则将大指先屈置掌心②，余四指则紧握大指之外面，两臂垂直，双拳置大腿之两侧，掌心贴腿，拳背向外。在上手之时③，臂部并不用力，拳亦握得极松。略略停顿之后，即将两拳缓缓握紧，至极度为止；同时，运力于臂，使之下注④，即用力将两臂挺直，使肘节突出，而气力易达于指掌之间也。略停片刻后，更徐徐矣⑤住臂力，放松拳指，而回复原状。如此一紧、一松为一度，共行四十九度，而第三段功夫毕收⑥。式如第三图（附图 33）。

附图 33　第三图

按：此段主力之点，在于拳臂。行气之法，一提、一注，固与上段无所区别，但其间不同之处亦不止一端。彼则并足而此则分开，彼则伸直大指而此则屈握大指，要皆各有用意者。夫两足分开，所以使下盘牢固，不易摇动也。握拇指于掌中，所以实⑦拳心而易于着力也。臂向下挺，而突其肘节，所以使全臂之气力，下注于拳也。而各段之动作相异无几，在功效上则差甚大也。行功之际，除动作之外，尤须注意于神气之贯注，务使精神气力，融汇一起，达则全达，敛则全敛。若精神气力之不相融，虽练百年，亦是无益，学者宜加意焉。

注 释

① 鼓气腹中：鼓气于腹中，即尽量吸气，将腹部鼓起。

② 两手则将大指先屈置掌心：先将两手的大拇指屈回放于掌心。

③ 在上手之时：在开始时。

④ 下注：往下注。

⑤ 矣：应为“收”。

⑥ 收：应为“矣”。

⑦ 实：填实。

### 第四段

行第三段功夫既毕之后，休息片刻，以舒展筋骨，然后再续行第四段。此段与以上各段不同。先全身正立，两足紧并，用足两腿之气力下注，以固[①]下盘。然后将两大拇指屈置掌中，而以余指屈置其外，掘[②]之成拳。两拳由前面向上举起，以平肩为度，掌心相对，虎口向上。两拳间之距离，则与肩膀之阔度相等。在上举之时，两臂宜直，上身切忌动摇。略略停顿，即运力将拳紧紧握拢，以至极度。而两臂同时向前伸去，位置虽不能伸前若干[③]，但气力则完全前注[④]。停顿片刻，则将拳放松，而收回

附图 34　第四图

两臂之伸劲。在伸出时，切忌左右宕动[5]。如此一握、一松为一度，共行四十九度，第四段功夫既毕矣。式如第四图（附图 34）。

按：此一段乃气注平行[6]之法，使气力进则注之于拳臂，退则流行于肩背。盖握拳伸臂，两肩必向前探出，背部之筋肉，势必紧张，此时气力完全前透。待松手收力，全部筋肉，完全松弛，气力亦因而退行，流注于肩背各部矣。此段最忌者，即为用力时两拳向左右宕动。因两拳宕动，则全身之气力，不能专注于前，而旁行散乱。势散神乱，行之非但不足以获益，反足以招害也，是宜特加注意。

注释

① 固：稳固。

② 掘：握。

③ 若干：多少。

④ 前注：往前灌注。

⑤ 宕动：荡动。

⑥ 气注平行：当为“气力平行”。

第五段

行第四段功夫毕，略事休息，更续行此第五段。全身正立，两足紧并，昂首紧目，闭口咬齿，凝神鼓气，如第一段之形状。将两手握拳甚松，翻掌向外，徐徐从两旁举起，竖于头之上面，掌心相向，虎口向后，肘节微弯，两臂须离开耳际一寸处，切不可紧贴。在两臂上举时，两足即随之踮起，两踵[1]离地一寸左右为度。略略停顿片刻，

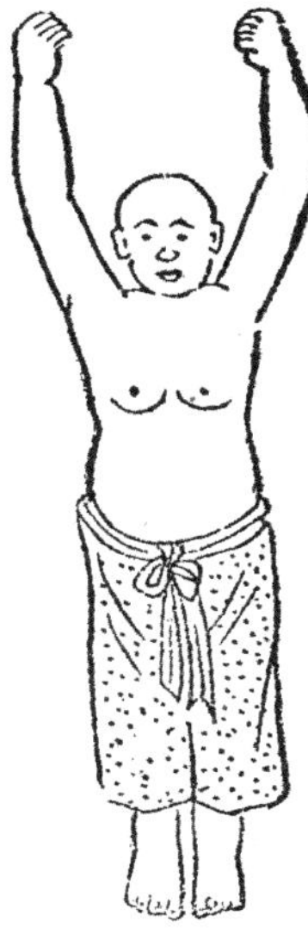

附图35　第五图

乃将两拳紧紧一握，两臂则蓄力向下挫，似拉住铁杠，将身上收[②]之状；同时，两踵再乘势向上举起，至极度而止。停顿片刻之后，再将两拳徐徐放松，收回气力，两踵亦缓缓放下，仍至离地一寸左右为度。如此一起一落为一度，共行四十九度，而第五段功夫毕矣。式如第五图（附图35）。

按：此一段功夫，乃将气力流注全身之法。盖举踵踮趾，则腿胯等处必气力贯注而后坚实。若气力不注，则腿胯虚浮；腿胯虚浮，势必全身动摇，不能直立，难于行功矣。至于两臂上举者，欲使其肩、背、胸、胁、腰、腹等部之筋肉，处处紧张，以便气力易于流注进退也。此段中之最须注意者，即在紧握双拳之际，下挫其臂。所谓下挫者，乃运其两臂之全力，向下挫去，并非真将两臂做有形之动作也，此实为运意而役使气力之法，是[③]当特加注意者。两踵之起落，务宜徐缓，切忌猛疾。因起落猛疾，两踵易受震激，足以影响及于头脑与心房，为害甚烈，是宜切记。

**注释**

① 踵：脚后跟。

② 上收：往上收。

③ 是：这。

第六段

行第五段功夫既毕，略事休息，然后再续行第六段。全身正立，昂首睁目，闭口鼓气如前。先将两足分开，相距约一尺左右，趾踵须成平行线[①]，切不可踏成八字式，因八字式力不专注，且易动摇也。两手则将大拇指放在外面，以余[②]四指握拳，再将拇指放于指节之外。握时亦须松弛，不可过紧。然后将两臂从旁侧举起，掌心向上，至臂平直时，更屈转肘节，引肱竖起，至拳面适[③]对两耳，全臂成三角形。拳以离耳一寸许为度，掌心则向[④]肩尖。略略停顿后，即将拳徐徐握紧，以至极度。小臂则用力向内折，大臂则用力向上抬。此皆系力行，不以形式行也。[⑤]略事停顿后，即徐徐放开，以复原状。如此一松一紧为一度，自始至终，共行四十九度，而第六段功夫毕矣。式如第六图（附图36）。

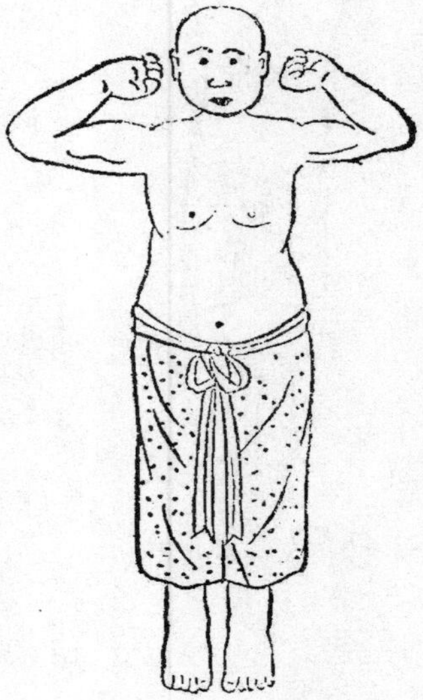

附图36　第六图

按：此段功夫，乃运使气力，进而流注于臂、肘、指节之间，退则流注于肩、背、胸廓之部。小臂内折，则筋肉紧张，气力易于前达[⑥]；大臂上抬，则胸廓开展，肩背紧张，而气力易于流行内府[⑦]，诸官[⑧]亦必因而舒伸，处处着力，毫不松懈。唯行此之时，上身切忌动摇，两臂切忌震荡。欲免除此弊，在乎用力之时，徐缓从事，若举动猛疾，则必难免也。

### 注释

① 趾踵须成平行线：两脚从趾到踵须眉成平行线。

② 余：其余。

③ 适：正好。

④ 向：对着。

⑤ 此皆系力行，不以形式行也：这都是用力去做，不是在形式上去做。

⑥ 前达：往前达于臂、肘、指节之间。

⑦ 流行内府：流行于内府，即达于胸腔。

⑧ 诸官：各内脏器官。

### 第七段

行第六段功夫之后，休息片时，再续行此第七段。两足紧并，全身直立，昂首突视，鼓气闭口如上。两手则各将四指握在里面，而大指则扣[①]手指节之外，拳握甚松。由正前面向上提起，提至肩前，成平三角形时，略停片时，即运力于肱，徐徐向左右分去，至平肩成“一”字形为度，掌心向上。上身则略向后仰，唯[②]不能过度。在两臂分开之后，即将两足尖徐徐抬起，离地约一寸许，专用两足跟着地；同时，将拳徐徐握紧，从鼻中吸入清气一口。吸尽一口，再将足尖轻轻放下，两拳缓缓放

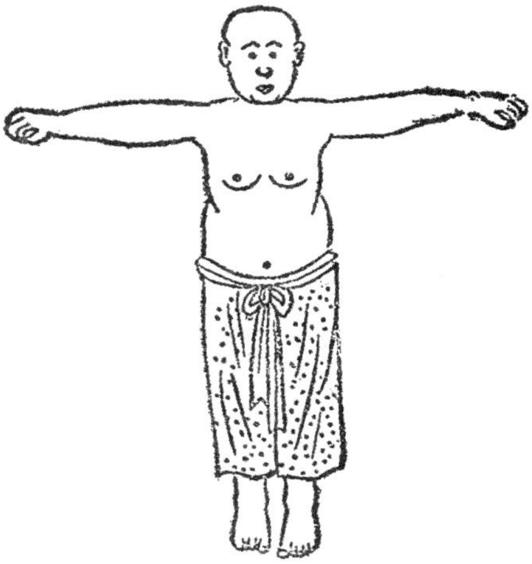

附图 37 第七图

开；同时，从口吐出浊气一口，以复原状。如此共行四十九度而功毕，式如第七图（附图37）。

按：此段乃运使气力旁行之法，而兼调内府者也。伸臂握拳，所以增加气力；一[3]呼吸所以调内脏，即吐浊纳清之意也。故行时上身必须后仰，始足以使胸廓开展，而可以尽量呼吸也。至于足尖上抬之故，亦无非欲使下盘固实而不虚浮。盖足跟点地，气力若不贯注，非但动摇，且立[4]见倾跌。学者于此，宜三注意焉。

注释

① 扣：扣在。

② 唯：但。

③ 一：统一。

④ 立：立刻。

第八段

行第七段后，休息片时，再续行此第八段。此段与第四段之法大同小异。并足正立，昂首突视，屏息鼓气如前。将两拇指先屈转，置于掌心，更以其余四指握其外，拳握甚松。再将拳由前面向上举起，以平肩为度，虎口向上，掌心相对，唯两拳间之距离，并不限肩之阔度，相去检迩[1]，约距二三寸。在两拳上举之时，两踵亦徐徐提起，离地约二寸许，专用足尖点地。然后将两拳用力徐徐握紧，以至极度。略事停顿后，再将拳徐徐放松，两踵亦轻轻落下，着地时务须极轻。如此一紧一松为一度，前后共行四十九度而功毕，式如第八图

（附图 38）。

按：此段练空中悬动，使气力流注于上下各部。与第四段相异之处，在于两拳距离之远近，及举踵与不举踵二事。在握紧双拳之后，更宜将臂向外分去，以至与肩膀之阔度相等。至放松时，则更徐徐合拢。行此段最难之点，则在于上身之向前后俯仰，而使下盘不能固实，故此一段功夫，实较第四段为难也。

附图 38　第八图

注 释

① 相去检迩：相离远近。检，疑为“远”。迩，近。

### 第九段

行第八段功夫既毕，休息片刻，再续行第九段。全身直立，头正，目前视，上身须直，闭口鼓气如前。两足紧并，将两大指屈置[①]掌心，而以余四指握其外[②]，拳握甚松。然后将两拳从下面提起，务须在正前方上提，提至腹前，则屈其两肱，向上翻起，至当面[③]为度，掌心向外。两拳面则斜向鼻尖之两旁，肘臂屈成三角形，两拳相距约三寸许。然后更将拳徐徐握紧，以至极度；同时，将小臂用力向内翻转，大臂则用力向前逼出，肘节则向后面分引，各部同时运用气力。略事停顿之后，再徐徐放松双拳，收回各部气力，以复于原来情状。如此一紧一松为一度，自始至终，共行四十九度而功毕。式如第九图

（附图 39）。

按：此段在翻肱向上时，宜似握千钧重物向上翻提之状，虽手中并未有物，心中当作如是[④]想也。此段坊本错误者甚多，且有与第六段混为一谈者，贻误世人，不知几许，故特加改正，并指其谬[⑤]，以告学者。其与第八段不同之处，但须两下[⑥]参看，不难领悟也。

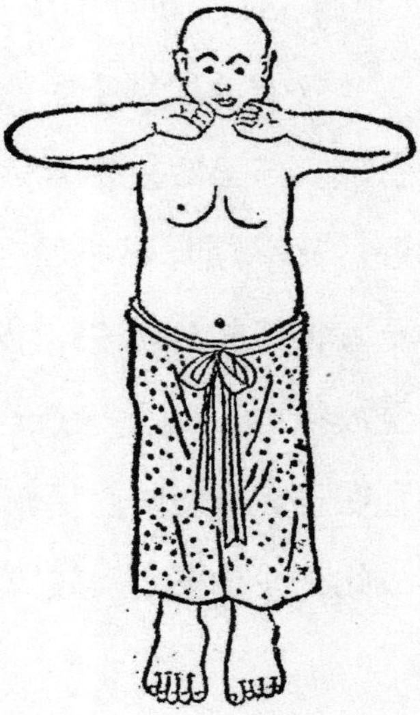

附图 39　第九图

注释

① 屈置：屈置于，弯曲放置于。

② 余四指握其外：其余四指握在它的外面。

③ 当面：正对脸。

④ 如是：如此，像这样。

⑤ 指其谬：指出其错误。

⑥ 两下：两边。

第十段

行毕第九段功夫之后，休息片刻，再续行此段。正立如前，两足紧并，昂首挺胸，睁目突视，闭口屏息，鼓气于中。将两拇指屈置掌心，而以其余四指握之成拳，并不甚紧。虎口贴腿，掌心向后。乃[①]将两臂从前面举起。至平肩之时，乃运肘力向左右两旁分[②]去，与肩尖相平；同时，两肱[③]亦向上竖起，举直为度。此时两臂与头，适[④]成

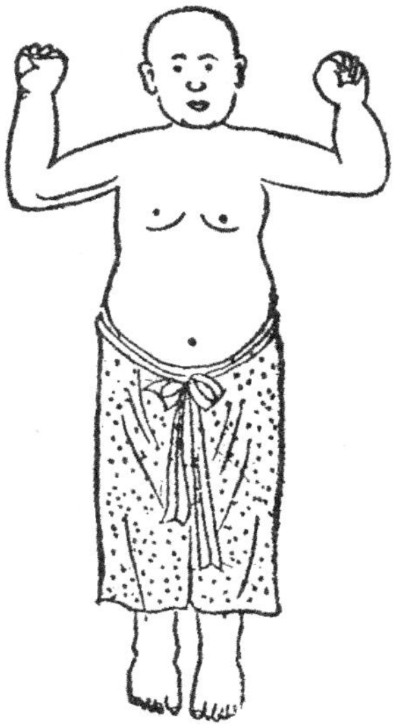

附图40　第十图

一“山”字形，掌心向前，虎口向两耳。略事停顿之后，徐徐将拳紧握，以至极度；同时，两臂用力向上托[5]，如手托千斤之势；两肘节则向外[6]逼出，如欲使之凑合者[7]。但皆用虚力，而并非有形之动作也。如此停顿片刻，即徐徐松手。如此一紧一松为一度，共行四十九而功毕。式如第十图（附图40）。

按：此段乃练气力之上行。除握拳之外，其余皆非有形之动作，亦运意使力[8]之法也，拳家所谓意到神到而力随之者是也。坊间俗本，不知此中奥旨，竟皆演有形之动作，则势乱神散。而欲收效，其可得乎？荒谬之处，学者宜审思而明辨之，庶不至自误也。

注释

① 乃：于是，就。

② 分：划。

③ 两肱：这里指两小臂。

④ 适：正好。

⑤ 托：托举。

⑥ 向外：向两旁。

⑦ 如欲使之凑合者：就像要使两手互相配合，横向往开对拉一个东西一样。**按**：此节意思，既有向上举重之劲，又有横向对开拉力器之劲。

⑧ 运意使力：运用意识役使气力。

第十一段

附图41　第十一图

行第十段功夫既毕，休息片刻，再续行第十一段。全身正立，两足紧并，昂首突视，闭口鼓气如前。两手则各先将四指屈置掌心，而以拇指护其外[①]，握成极松之拳，乃[②]运用臂肘之力，将拳向上提起，置于小腹之前恰当[③]脐轮之两侧。肘微屈，虎口斜对，拳面向下，掌心向内，拳距腹约一寸左右。略事停顿，即将每手之四指徐徐紧握，以至极度，而两拇指则用力上翘，愈高愈妙。两臂虽不做有形之动作，但气力却须上提，不可下注，似提千钧重物之状。停顿片刻，再将拇指徐徐放下，四指徐徐放松，而将两臂之气力，缓缓下注。如此一紧一松为一度，自始至终，共行九度，本段功夫毕矣。式如第十一图（附图41）。

按：此段功夫，乃运气升降之法。在紧握之时，则自鼻中吸入清气一口；在放松之时，则自口中吐出浊气一口。唯须行之徐缓，吸须吸尽，吐须吐尽，切不可失调或中途停顿，致内部受到意外之震激。运力上提，本为无形之动作，两肩切不可向上耸起，是为至要[④]。

注 释

① 护其外：护于其外。

② 乃：于是（再）。

③ 恰当：正好在。

④ 是为至要：这是最要紧的。

## 第十二段

附图42　第十二图

行第十一段功夫即毕，休息片刻，再续行第十二段。全身正立，两足紧并，昂首突视，闭口鼓气如前。两臂直垂，指尖向下，掌心向前。乃将臂徐徐从前面举起，平肩为度，大指在外，掌心向天。两手中间之距离，与肩膀之阔度相等。在两手上举之际，两踵亦同时提起，以离地二寸许为度。略略停顿之后，两手徐徐放下，两踵亦轻轻落地，如此起落各行十二度。再举掌如前，手掌向上一抬，肘即向下一扎；同时，两踵提起，再轻轻收回恢复原状。[1]踵落地之后，即将足趾向上跷起，离地以一寸为度。[2]如此亦连续行十二度而全功毕矣。（附图42）

按：此段乃舒展全身筋络血脉之法。盖以上十一段功夫，各有功效，行时气力不免偏注，故必须用此一段以调和之，而使气力偏[3]注于全体各部，无太过不及之病[4]。是亦犹[5]打拳者于一趟既毕之后，必散步片刻，然后休息也。综上述十二段功夫，每日勤习，则三年之后，必可有成，而气力相随[6]，无往而不可矣。

注 释

① 同时……恢复原状：即手掌向上抬时，两脚跟提起，两肘向下砸时两脚跟落地。

② 踵落地之后……一寸为度：两脚跟一落地，就将脚趾向上跷起，以离地一寸高为标准。

**按**：这也是后十二度，与前十二度不同的地方。

③ 偏：应为“徧”，即“遍”。

④ 无太过不及之病：没有太过与不及的毛病。

⑤ 犹：犹如。

⑥ 气力相随：气与力相随。

# 易筋经后部练习法

前部易筋经十二段，虽亦注重于气力相随，唯犹[①]以力为主，刚多柔少，即以力行气之法也。练习成功之后，虽可以气力相随，但欲其遍及全身，流行于内膜而无所阻核，尚难如愿以偿。欲达到此种程度，必须前部易筋经练成之后，再接续此后部。但亦不能入手即练后部，因此步功夫，完全注重于运行气力于内膜，以充实其全身之筋肉，而不在于增加实力。然实力不足之人，欲其气力运行，固不易言[②]。即算[③]能练成，其效亦至[④]微弱。所以须先练前部者，盖亦增加实力，使与气相随。[⑤]然后更进而练习后部，于纯柔之中求运行之道，自易于入手，且收效亦较为神速也。故单练前部，不练后部则可，单练后部则不可也。因单练前部，气力纵[⑥]未能运行于内膜，然较未练时必增加数倍，而收身强力壮之效，即[⑦]不再进步[⑧]而求其能于运行内膜，亦足以却病延年矣。若后部则专讲运行之道，单单练此，毫无用处，所谓徒劳无功者是矣。凡练少林内功者，对于此事，不可不知。兹且将后部易筋经十二段各法，列举于下，以便练习。

注释

① 唯犹：但还是。

② 固不易言：固然不容易。

③ 即算：就算。

④ 至：极。

⑤ 所以须先……使与气相随：之所以必须先练前部，也是为了增加自身实力，使之与气相随。

⑥ 纵：纵然。

⑦ 即：即使，就算。

⑧ 进步：进一步。

第一段

先盘膝而坐，以右脚背加于左大腿之上面，更将左脚从右膝外扳起，以左脚背加于右大腿之上面，使两足心皆向上。此为双盘趺[①]坐法。即寻常打坐，亦多用此法，唯须练习有素，始能自然。坐时身宜正直，且不能有所依傍[②]，而坐于木板之上。因棕藤之垫，质软而有弹力，易使人身体偏侧，故不相宜。两手则紧握双拳，四指屈于内，而以拇指护其外，[③]两拳放于膝头之上。须纯听其自然，不可稍微用力。将双睫下垂，眼露一缝，口紧闭，上下牙关相切[④]，舌舐于牙关之内。冥心

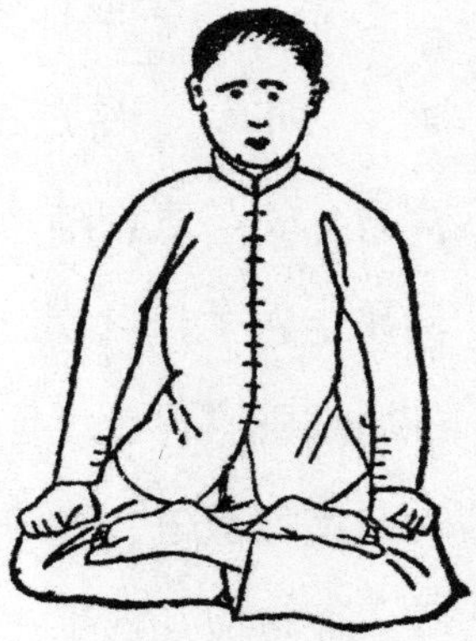

附图43　第一图

屏息。周身完全不用丝毫勉强之力，唯将精、气、神三者，用意想之法，而注于丹田。在入手之初，决不能立时汇合[⑤]，唯如此凝思存神，

日久自有功效。式如第一图（附图43）。

按：此段在未行功之先，因心中杂念一时不易完全消灭。杂念不消，则心神不宁；心神不宁，则精神涣散，行功等于不行，绝不能收到丝毫效果。故先用此法消其杂念，然后行功，自无妨碍。所以必注想于丹田者，盖以其为内府之中宫也。[6]

注释

① 趺："跌"字误，当作"趺"。

② 有所依傍：靠着东西。

③ 四指屈于内，而以拇指护其外：四指在内，拇指在外。

④ 相切：互相咬合。

⑤ 汇合：精、气、神汇合。

⑥ 所以必注……之中宫也：之所以必须注想于丹田，是因为它是内府的中宫。内府，即胸、腹腔。

第二段

行第一段功夫，大约以一炊时[1]为度，然后更续行第二段。趺[2]坐如前，两足并不放开，身体亦完全不动，唯两手则将握掌之指，徐徐放开，以舒直为度。然后将两臂缓缓从侧旁举起，掌心向上。举至平肩之时，则屈肱内引[3]，由头上抄至后面，同时，翻转手腕，使掌心向前，大指在下，至玉枕穴[4]后面时，两手渐渐接合，十指交叉，而抱持其后头[5]。两手之掌根，适[6]按于耳门穴[7]之上，两臂则成三角形。抱时不宜有有形之力。头略后仰，胸稍前突。唯在两手动作之际，躯干各部，不宜稍有震动。心意仍须注在丹田。既抱住头颅之后，略事停顿，即提气上升。意想此一口气似由丹田而起，经过脐轮，上达心包，而过喉结，直至顶门而停留片时，再使由顶门向后转下，经玉枕穴，由颈椎缘脊而下，过尾闾[8]抄至海底[9]，再转上而回至丹田。初行时不过[10]一种意想，气力必不能遵此途径而运行自在[11]，唯练习既久，自有成效。

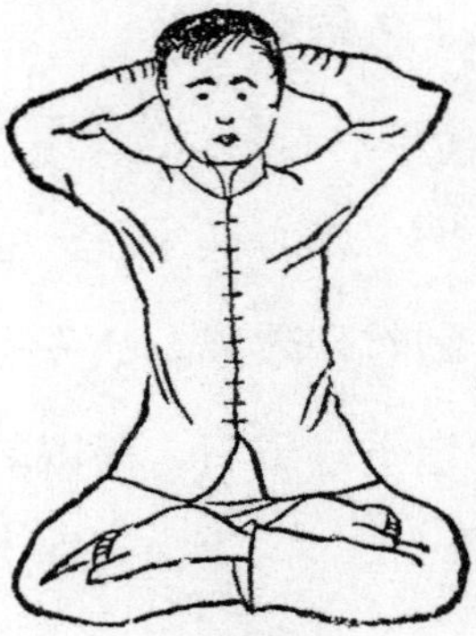

附图 44　第二图

唯行此功夫时，须一切纯任自然，不可有丝毫勉强，且不可过于贪功，是学者宜注意者也。（附图 44）

按：此一段功夫，乃使气力转运循环之法。盖顶门之百会穴，实为首部[12]要区；而脐下之丹田穴，实为内府宝库，同一紧要。故气力上升，则贮于百会；气力下降，则归于丹田。一升一降，即[13]周天循环之道；一起一伏，亦[14]阴阳造化之机。所以须一切纯任自然者，盖本乎先天之静穆，而致后天之生动也。[15]练习时以循环二度[16]而停止，乃[17]将双手放开，握拳收置于两膝之上，回复原状。

注 释

① 一炊时：做熟一顿饭的时间。

② 趺：原文"跌"误，当作"趺"。

③ 屈肱内引：屈臂往里。

④ 至玉枕穴：在头后部。

⑤ 后头：头的后面。

⑥ 适：正好。

⑦ 耳门穴：在头部侧面、耳前部。

⑧ 尾闾：尾闾穴，在尾骨端与肛门之间。

⑨ 海底：海底穴，又称会阴穴，在前后阴的中间。

⑩ 不过：不过是。

⑪ 自在：自由。

⑫ 首部：头部。

⑬ 即：就是。

⑭ 亦：也就是。

⑮ 所以须一切……后天之生动也：之所以必须一切纯任自然，是要从先天的静穆而导致后天的生动。

⑯ 循环二度：循环两圈。

⑰ 乃：于是，再。

## 第三段

行第二段功夫既毕[1]之后，乃[2]将圈盘之腿，缓缓放下，略事休息。使腿部之筋骨，得以舒展，气血不至因而壅阻。但在此休息之时，心神犹须宁静，切不可有丝毫杂念兴起。一炊时后，再将两足徐徐向前伸去，至腿部平直为度。两腿紧并，两足跟之后部放于板上，蹠[3]则直竖，足心向前，足尖向上。更将上身徐徐下俯，两手则从旁侧抄向前方，至足前时，乃交叉十指，收住两足。须将两足用力向前伸挺，而两手则向后拉引，方为得力。腰背两部，始克因之而紧张。成此姿势之后，乃将贮留丹田之气[4]，运于肩、背、腰、股[5]各部。初时亦仅意想可到，练至功夫渐深，则气力亦可随之俱到[6]矣。行此一段功夫，亦以一炊时为度，然后徐徐放开，回原来之平坐状态。式如第三图（附图45）。

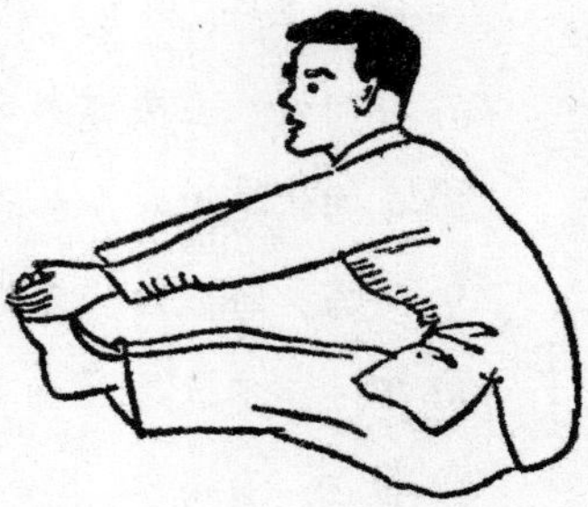

附图45　第三图

按：此一段，乃充实软裆各部之法，其主要之处则在乎腰间[7]。因此一部，在人身各部之中为最软弱，气力亦最不易贯注，故行时必须俯身至极度，然后始能使腰部之筋肉紧张。筋肉紧张之后，气力亦较易达到。勤加练习，自有妙用。唯身体起落之时，务[8]徐缓，切不可向左右摆动，以乱其神而散其气，是为最要，学者慎之。

注释

① 既毕：完毕。既，已，已经。

② 乃：就。

③ 蹠：音 zhí，脚底肉厚处。

④ 贮留丹田之气：贮留在丹田的气。贮，音 zhù，贮藏。

⑤ 股：腿。

⑥ 俱到：都到。

⑦ 腰间：后腰部。

⑧ 务：务要，务必。

### 第四段

行第三段功夫既毕，略略休息，更[1]续行第四段。先将两脚徐徐盘起，以右脚背置于左大腿上面，然后将左脚从右膝外扳起，放于右

附图 46　第四图

大腿之上面，两脚心皆向天，成为双盘坐之势。唯在两脚盘坐时，上身切忌向前后或左右摇动。坐定之后，宁神一志，注气于丹田，摒除一切杂念。稍事停顿，两手即徐徐翻腕，使掌心向外。然后两臂从左右两侧缓缓上举，至顶门上面相合，交叉十指。再将腕向前翻转，而使掌心向上，两掌用力上托；同时，运用其气，使从丹田向上提起，转入两臂，而达于指掌。亦用以意役[②]神，以神役气之法，并无有形之动作，唯[③]意念之专注耳。行此一段功夫，亦以一炊时为度。然后徐徐将手松开，将两臂仍从旁侧落下，运气下降，回复原状。式如第四图（附图 46）。

按：此段乃行气于臂、指之法，较第三段为难。因臂部肌肉坚实，气不易行。如欲练至意到气达，气到力随之境，非短时间能奏效，颇费苦功也。其所以须盘坐而行者，固实其下盘也。架手于顶门，则可使全身上提，正直得势，使气易于上达，更不至中途所阻核也。在两手动作之时，务须徐缓而固其神气，不可粗率也。

注释

① 更：再。

② 役：役使。

③ 唯：只是。

第五段

行第四段功夫既毕之后，乃将所盘之两足，徐徐放开，向前伸去，以腿直为度。两足相并，以足跟之后部，放于板上，足心则向前，足尖则向上，与第三段之起手时相同。略略休息之后，即续行第五段功夫。先将两手由两旁侧之下面，徐徐移向后方，至尾闾穴之后，两手相合，交叉十指，将腕翻转，使掌心向正后方，而两手背则贴于尾闾穴之两旁，须要贴得紧紧，不可稍有松浮。两肩头则用力向前逼出，兼向上耸，务使肩背部分之筋肉，紧张异常。然后用意想之法，运用其气力，使充实其肩背。起初不过意行，久后自能达到。① 行此一段功夫，亦以一炊时为度，然后徐徐收回双手，回复原状。式如第五图（附图 47）。

附图 47　第五图

按：肩背等部，骨多筋杂，皮肉极薄而坚实异常，故气力之不易运行与臂指相等。练习亦颇不易，收效之迟缓，较诸上一段为尤② 甚。然能下苦功，亦必有成。此段之所以两手放于后面，及两肩前逼而兼上耸者，无非欲使肩背部分之筋肉紧张，而易于运行其气，使之到达，不致多所阻核也。唯在运气之时，并无有形之动作，纯以意行耳。

注 释

① 起初不过意行，久后自能达到：起初只不过是以意运行，久后自能达到气行。

② 尤：更。

第六段

行第五段功夫既毕，略事休息，然后续行[①]第六段。先将两足收回，成盘坐之状，以右脚背放于左大腿上面，更将左脚从右膝之外面扳起，亦将脚背放于右大腿上面，使成双盘坐法，与第一段相同。两足动作时，上身切忌摇动。坐定之后，先将两手从旁移至前面，至脐下时，两手相合，而交叉其十指，翻腕向内，以掌心捧住少腹[②]。初时并不用力，冥心存念，略定神思。然后运气由丹田而注于肾囊，以活动其睾丸。停顿少许时，乃提气上升，以回原处[③]，做似欲将两睾丸吸入腹中之想。在提气上升之际，同时两手心亦渐渐用力，略做向上摩起之势。略停片刻，更运气注于肾囊。如此升降各十二度而功毕。式如第六图（附图48）。

附图48　第六图

按：肾囊为人身最要之物，睾丸又极嫩弱，稍受外力，即易破损。此一段功夫，乃专练收敛睾丸之法，即世称之“敛阴功”是也。在初练之时，睾丸必难随气升降，然练习稍久，即易活动，反较运气于肩背等为易于收效。因肾囊为筋络所成，中空而运接于少腹，与丹田相距甚近，故气力易于运到，待练习既久，睾丸自能随气升降矣。

此功练成，人纵欲取我下部而制我之命，亦无从下手矣。

注 释

① 续行：继续做。

② 少腹：小腹。

③ 以回原处：原文“以”字误，当作“收”字。收回原处，即收回丹田。

### 第七段

行第六段功夫毕，略事休息，更续行[①]第七段。上身及两腿，完全不动，就原式[②]略略加以停顿耳。两手则从少腹上徐徐撤下，移向两股[③]之侧，按于板上。大指在内，指尖则向前面，掌按板面。不宜过分用力，但求其能相贴合[④]耳。心神既定之后，则将两臂徐徐用力下注[⑤]，意欲将上身做向上升起之状，唯并非有形之动作。同时，提气上升，使充于胸廓，停滞不动。历一呼吸之久，再将气从原道降下，停于丹田。而两臂之力，亦同时松弛，回复原状。更隔一呼吸时，再提气上升如前。如此升降各十二度为止。此段功夫，虽不甚难，但在初入手时，亦不免有所阻碍，须经过若干时后，始克[⑥]升降自如。式如第七图（附图 49）。

附图 49　第七图

按：此一段功夫，乃充实胸廓之法。运气于内，固[⑦]较行于筋膜之间为易。唯运行虽易，而停滞一事，极为烦难。若神气未能完固之人，决难达到此目的，此即道家所谓凝神铸气之法也。初入手时，未能久停，为时不妨稍暂[⑨]，以后逐渐加长可也，是在学者自己斟酌之。

注释

① 更续行：再继续做。

② 就原式：（只不过）保持原式。就，就着。

③ 两股：两大腿。

④ 能相贴合：能与板相贴合。

⑤ 下注：向下注。

⑥ 始克：才能。

⑦ 固：固然。

⑧ 暂：短暂。

第八段

行第七段功夫既毕之后，即就原式略事休息，调和气力使稍弛展[①]，然后再续行第八段。此段上身与两足皆不动，一如以上二段之姿势。唯将两手提起，使离开板面，然后徐徐向前移去，绕至两脚心之上面，即以左掌心紧按右足心，右掌心紧按左足心，即以中渚穴[②]紧对涌泉穴[③]也。大指在内，指尖相对，肘微两屈[④]，臂部并不用十分气力，但以手足两心[⑤]贴合为度。略略停顿之后，始将两臂稍微用力撑柱，同时，将气从丹田中运行而出，使之从下抄左转上，绕右方而下，回至丹田，在脐之四周绕一圆圈，上及肚子之下，旁及前腰。如此运行一周之后，即休息一呼吸时[⑥]，再为运行，以九度为止。若为女子，则宜自右而左。式如第八图（附图 50）。

附图 50　第八图

按：此段乃炼气充实肚腹之法，而兼及于腰肾之前部者。行时宜先鼓足其气，使之略一停滞，然后再运之循轨而行，似较稍易。唯在运行之时，非但外表不宜显有形之动作，如身体动摇等，即内部亦不宜有迸气⑦挣力⑧之象，须纯任其自然。初时固未必能尽如我意，久后必可成功也。

注释

① 弛展：松弛舒展。

② 中渚穴：在手背的小指指根与无名指之间往下二厘米凹陷处。

③ 涌泉穴：在脚心。

④ 肘微两屈：两肘微屈。

⑤ 手足两心：手心与足心。

⑥ 一呼吸时：一个呼吸的时间。

⑦ 迸气：即屏气，迸，音，bèng。

⑧ 挣力：过分使力，拙力。

### 第九段

行第八段功夫既毕之后，仍就双盘坐之原式，略事休息。上身与腿足，完全不动，一如上式。唯将两手徐徐至侧面，仍按于板上，休息约三个呼吸时，则续行此第九段。先将右手在前面徐徐向斜上方屈肱举起，至左肩之上，即用手掌搭于肩上，掌心适按于肩窝穴①上，五指则在肩后，肱紧贴于胸胁前面。然后再将左手亦从前面向斜上方徐徐屈肱举起，左掌心按住右肩窝穴，肱则紧贴于右肱之外侧，用力

附图51　第九图

缓缓搿[②]紧，而使其肩背之筋肉紧张至极度。同时，则运用丹田之气，使之上升，而充实其肩背之内部。初时决难气随神到，但宜用意想之法行之，日久之后，自能运行无阻。式如第九图（附图51）。

按：此一段亦系[③]行气于肩背之法。肩背以筋杂肉薄之故，气力殊不易运到。唯其不易运到，故须多练，而此后部易筋经中，对于练习肩背之法独多，亦以此也[④]。行时所以必两手抱肩，紧聚相搿者，亦正欲使其肩背紧张，而气易于贯注也。

注释

① 肩窝穴：似指肩井穴。

② 搿：音gé，两手合抱。

③ 系：是。

④ 亦以此也：也是由于这个原因。

### 第十段

行第九段功夫毕，先将左手徐徐落下，按于板上，再要[①]右手落下按板。然后将圈盘之两腿，徐徐放开，直伸于前，略事休息，更续行第十段。须将两脚收回，屈膝而跪，两腿紧紧相靠，脚背贴板，臀部坐于小腿之上面，尾闾则紧靠两脚跟，上身略向后仰，头正，目前[②]视。但经此一番动作，心神必外瞀[③]，故须休息片时，加以收摄。

心神既定，则徐徐将两手从侧面抄至前下方，屈肱向上举起，至心窝旁两乳下为度。乃将两手掌轻轻按于胁上，两肘则略略用力后引，唯非有形动作。按定之后，即将气提之上升，用意想之法，使之充满于两乳房，停滞不动。历一呼吸之久④，仍从原路使之下降。如此升降各九度而止。式如第十图（附图52）。

附图52　第十图

按：乳房在胸前亦系主要之部分，而膺窗、乳根等大穴，皆在于此，若不练气之充实，最易为外力所伤，与敛阴一段功夫，实有同等之紧要。此段之所⑤跪行者，盖欲使上身正直，而气易于运行也。两手按胁者，即所以示气循行之路也。

注释

① 要：教，叫，让。

② 前：向前。

③ 心神必外瞀：心神一定会向外散乱。瞀 mào，紊乱。

④ 历一呼吸之久：经过一个呼吸的时间。

⑤ 之所：当为“之所以”。

第十一段

行第十段功夫既毕，即就原式略息片时。两手则徐徐放下，垂于旁侧稍稍舒展，续行第十一段。先将两手稍微举起，徐徐移向前面，

附图 53　第十一图

至膝盖之上，乃将右掌心按于右膝盖，左掌心按于左膝盖，即膝骨与腿骨接合之处。大指在内，指尖向前，两臂稍为用力做撑柱之状，上身则向后做倚靠之势，头则后仰至极度。心神既定之后，则将气提之上升，经脐轮、心坎等部而上起，至喉结穴而停留不动，使喉部充实。如此历一呼吸时，仍将气下降，停滞丹田。亦经一呼吸之时，再运气上升而充注于喉结穴。如此升降各九次后乃将上身徐徐坐直，头亦下俯，两手亦收回垂两侧，回复原状。式如第十一图（附图 53）。

按：咽喉为人身最要之地，生死关头之所系，且喉管为一软骨，虽有筋肉护于其外，奈①极薄弱，故此部最易受伤，稍重即足②制命，故必须加以锻炼。若能运气于喉，而充实其内部，功夫精纯时，即③快刀利剑，亦不足以损其毫发矣。唯此部功夫，亦极不易练耳。

注释

① 奈：奈何。

② 足：足以。

③ 即：即使。

### 第十二段

行第十一段功夫既毕，则将上身抬起，而使两足徐徐舒展，直伸于前。略事休息后，即收起两足盘坐，仍以右脚背置于左大腿上，而左脚背则置于右大腿上，成双盘坐之势。在动作之后，神志不免外瞀，故须冥目静心以收摄之。待心神既定之后，即将两手移至前方，上下相向[①]。右手在下，左手在上，掌心相合，然后用力将左掌自左而右，旋摩[②]七十二度；再翻转两手，使右手在上，左手在下，用右掌之力，自右而左，亦用力旋摩七十二度。此时掌心热如火发，乃将两掌移贴后腰，先由外转内，旋摩七十二度；更由内转外，亦旋摩七十二度，则此段功夫毕矣。仍收回两手，做第一段趺[③]坐之势。式如第十二图（附图 54）。

附图 54　第十二图

按：此十二段功夫，皆系坐行之法，甚不易行，且久坐伤精，为行功十八伤之一。此一段加于十一段之后，良非无故[④]，盖恐行功之人，久坐而损伤其精，故用此一段以养其精。后腰，精之门也，精门和暖，则生气自足，更不虞[⑤]其损伤矣。

注 释

① 相向：相对。

② 旋摩：旋转摩擦。

③ 趺：原文“趺”字误，当作“趺”。

④ 良非无故：确实不是没有缘故。

⑤ 不虞：不担心。

## 新书预告

### 武学名家典籍丛书

**孙禄堂武学集注**

**（形意拳学　八卦拳学　太极拳学　八卦剑学　拳意述真）**

孙禄堂　著　　孙婉容　校注　　定价：288 元

**杨澄甫武学辑注**

**（太极拳使用法　太极拳体用全书）**

杨澄甫　著　　邵奇青　校注　　定价：178 元

**陈微明武学辑注**

**（太极拳术　太极剑　太极答问）**

陈微明　著　　二水居士　校注　　定价：218 元

（第一辑）

**李存义武学辑注**

**（岳氏意拳五行精义　岳氏意拳十二形精义　三十六剑谱）**

李存义　著　　阎伯群　李洪钟　校注　　定价：258 元

**张占魁形意武术教科书**

张占魁　著　　吴占良　校注

**薛颠武学辑注**

（**形意拳术讲义**上编　**形意拳术讲义**下编　**象形拳法真诠**　**灵空禅师点穴秘诀**）

薛 颠 著　　王银辉　校注　　　　　　定价：348 元

（第二辑）

**陈鑫陈氏太极拳图说（配光盘）**

陈 鑫 著　　陈东山　陈晓龙　陈向武　校注

**董英杰太极拳释义**

董英杰　著　　杨志英　校注

**许禹生武学辑注**

（**太极拳势图解**　**陈氏太极拳第五路**　**少林十二式**）

许禹生　著　　唐才良　校注

（第三辑）

**李剑秋形意拳术**

李剑秋　著　　王银辉　校注

**刘殿琛形意拳术抉微**

刘殿琛　著　　王银辉　校注

**靳云亭武学辑注**

（**形意拳图说**　**形意拳谱五纲七言论**）

靳云亭　著　　王银辉　校注

（第四辑）

## 武学古籍新注丛书

**王宗岳太极拳论**

李亦畬　著　　二水居士　校注　　定价：50 元

**太极功源流支派论**

宋书铭　著　　二水居士　校注　　定价：68 元

**太极法说**

二水居士　校注　　定价：65 元

（第一辑）

**手战之道**

赵　晔　沈一贯　唐顺之　何良臣　戚继光　黄百家　黄宗羲　著

王小兵　校注

（第二辑）

## 百家功夫丛书

**张策传杨班侯太极拳 108 式**　（**配光盘**）

张　喆　著　　韩宝顺　整理　　定价：48 元

**河南心意六合拳**　（**配光盘**）

李洳波　李建鹏　著　　定价：79 元

（第一辑）

**形意八卦拳**

贾保寿　著　　武大伟　整理　　定价：49 元

张鸿庆传形意拳练用法释秘　　邵义会　著
王映海传戴氏心意拳精要　　王映海　口述　　王喜成　主编
戴氏心意拳功理秘技　　王　毅　编著

（第二辑）

华岳心意六合八法拳　　张长信　著
程有龙传震卦八卦掌　　奎恩凤　著
杨振基传太极拳内功心法　　胡贯涛　著
刘晚苍内家功夫及手抄老谱　　刘晚苍　刘光鼎　刘培俊　著

（第三辑）

## 民间武学藏本丛书

守洞尘技　　崔虎刚　校注
通臂拳　　崔虎刚　校注
心一拳术　　李泰慧　著　　崔虎刚　校注
六合拳谱　　崔虎刚　校注
少林论郭氏八翻拳　　崔虎刚　校注

（第一辑）

心意拳术学　　戴　魁　著　　崔虎刚　校注
武功正宗　　买壮图　著　　崔虎刚　校注
太极纲目　　崔虎刚　校注
神拳拳谱　　崔虎刚　校注
精气神拳书·王堡枪　　崔虎刚　校注

（第二辑）

## 老谱辨析点评丛书

再读浑元剑经　　马国兴　著

再读王宗岳太极拳论　　马国兴　著

再读杨式老谱　　马国兴　著

再读陈氏老谱　　马国兴　著

（第一辑）

## 民国武林档案丛书

尚武一代——中华武士会健者传　　阎伯群　编著

太极往事　　季培刚　著

（第一辑）

## 拳道薪传丛书

三爷刘晚苍——刘晚苍武功传习录

刘源正　季培刚　编著　　定价：54 元

慰苍先生金仁霖——太极传心录　　金仁霖　著

习武见闻与体悟　　陈惠良　著

（第一辑）

**图书在版编目(CIP)数据**

薛颠武学辑注. 形意拳术讲义. 下编/薛颠著；王银辉校注. ——北京:北京科学技术出版社，2017. 1

ISBN 978－7－5304－8441－8

Ⅰ. ①薛… Ⅱ. ①薛… ②王… Ⅲ. ①武术－研究－中国②形意拳－研究－中国 Ⅳ. ①G852

中国版本图书馆 CIP 数据核字(2016)第 132118 号

**薛颠武学辑注——形意拳术讲义(下编)**

**作　　者**:薛　颠
**校 注 者**:王银辉
**策　　划**:王跃平　常学刚
**责任编辑**:李金莉　苑博洋
**责任校对**:贾　荣
**责任印制**:张　良
**封面设计**:张永文
**封面制作**:木　易
**版式设计**:王跃平
**出 版 人**:曾庆宇
**出版发行**:北京科学技术出版社
**社　　址**:北京西直门南大街 16 号
**邮政编码**:100035
**电话传真**:0086－10－66135495(总编室)
0086－10－66113227(发行部)　0086－10－66161952(发行部传真)
**电子信箱**:bjkj@bjkjpress.com
**网　　址**:www.bkydw.cn
**经　　销**:新华书店
**印　　刷**:保定市中画美凯印刷有限公司
**开　　本**:787mm×1092mm　1/16
**字　　数**:201 千字
**印　　张**:24.75
**版　　次**:2017 年 1 月第 1 版
**印　　次**:2017 年 1 月第 1 次印刷
ISBN 978－7－5304－8441－8/G·2480

**定　　价**:98.00 元

京科版图书，版权所有，侵权必究。
京科版图书，印装差错，负责退换。